GUÍA
PRÁCTICA
DE CONVERSACIÓN

Español - Inglés

EDITORIAL

arguval

Portada e ilustraciones: Luis Ojeda

© Purificación Blanco Hernández
© **Editorial ARGUVAL**
   C/ María Malibrán, 16
   29590 MÁLAGA
   ISBN: 978-84-86167-98-1
   Depósito legal: MA-427-2013
   E-mail: editorial@arguval.com
   http://www.arguval.com

Impreso en España - Printed in Spain
Imprime Imagraf

ÍNDICE

UTILIZACIÓN DE ESTA GUÍA

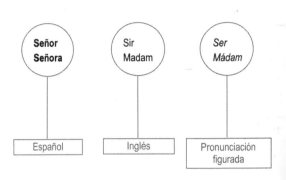

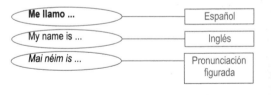

PRONUNCIACIÓN FIGURADA

Uno de los aspectos más difíciles del inglés es su pronunciación, ya que tiene pocas reglas y muchas excepciones. Aunque las letras del alfabeto inglés en su gran mayoría se corresponden con las del español, no siempre se pronuncian igual.

Nos ha parecido aconsejable y de utilidad ofrecer una pronunciación figurada, basada en comparaciones de los sonidos del inglés con los del español. Aun siendo conscientes de la falta de exactitud, hemos optado por prescindir del alfabeto fonético internacional, a fin de conseguir un método sencillo al alcance de todos.

En la pronunciación figurada que aparece en esta guía, algunas letras no se corresponden exactamente con sus equivalentes en español. Por ello, presentamos a continuación una serie de especificaciones:

c	Ante e, i, se pronuncia como s. Ante a, o, u, se lee igual que en español.
ch	Unas veces suena como tch (change), otras como k (chemistry) y en ocasiones como sh (champagne).
g	Ante e, i, se pronuncia gue, gui, excepto algunos casos en los que suena como dch (gentleman).
h	Es una aspiración suave y apenas perceptible, no tan gutural como la j española. Algunas veces no se pronuncia, como on hour
j	Sonido parecido a dch. Lo representamos como y.
l	En ocasiones no se pronuncia, como en walk.
ph	Se pronuncia como f.
r	Como en om, pero mucho más débil y sin vibración. Se pronuncia únicamente delante de vocal; en las demás posiciones, es prácticamente muda.
sh	Sonido inexistente en español, intermedio entre s y ch.

t	Como en lás*t*ima. Seguida de *i* y en la terminación *-tion*, se articula como *sh*.
th	Unas veces suena como *d* (*them*) y otras como *z* (*theatre*).
v	Es un sonido labiodental fuerte, como en Valladolid, pronunciado exageradamente.
w	Como la u de h*u*eso.
y	Unas veces suena como *i* (*yellow*) y otras como *ai* (*why*).

Debido a su complejidad, no podemos ofrecer en esta guía reglas exhaustivas para la pronunciación de las vocales, por lo que se ha de consultar su correspondiente transcripción en cada caso.

En inglés existen vocales con sonido largo que aquí se representan duplicadas.

Aunque las palabras inglesas no llevan acento escrito, en esta guía se marcan las sílabas tónicas con la tilde del español (´).

BREVES NOCIONES GRAMATICALES

1. ARTÍCULOS

Artículo determinado

the (= el, la, los, las)

the book (el libro), *the books* (los libros)

The es invariable en género y número.

Artículo indeterminado

a/an (= un, una)

a book (un libro), *an orange* (una naranja)

Se usa **an** delante de palabras que empiezan por vocal o h muda.

Para traducir la idea de "unos", "unas" se emplea el adjetivo indefinido **some**: *some books* (unos/algunos libros).

2. NOMBRES

Género

Sólo tienen género (masculino y femenino) los nombres de personas y animales. Las cosas son del género neutro.

Muchas palabras sirven indistintamente para ambos géneros: *friend* (amigo/amiga), *teacher* (profesor/profesora), *cousin* (primo/prima).

El género se distingue de alguna de estas maneras:

1. Por un cambio de palabra: *father* (padre), *mother* (madre); *man* (hombre), *woman* (mujer); *bull* (toro), *cow* (vaca).

2. Añadiendo el sufijo **-ess** al masculino: *prince* (príncipe), *princess* (princesa); *actor* (actor), *actress* (actriz).

3. Por medio de una palabra indicadora del sexo: *schoolmaster* (maestro), *schoolmistress* (maestra).

Número

El plural se forma, por regla general, añadiendo **-s** al singular: *table* (mesa), *tables* (mesas); *dog* (perro), *dogs* (perros).

Son casos especiales:

1. Los nombres acabados en **-o**, **-ss**, **-sh**, **-ch**, **-x**, **-z**, **-zz** que añaden **-es**: *potatoes* (patatas), *buses* (autobuses), *boxes* (cajas).

2. Los terminados en **-y** precedida de consonante, que cambian la *y* en *i* y añaden **-es**: *ladies* (señoras), *flies* (moscas).

3. Los que cambian la **-f/-fe** finales en **-ves**: *knives* (cuchillos).

4. Los que adoptan formas irregulares: *man/men* (hombre/hombres).

3. ADJETIVOS

Preceden al nombre al que califican y son invariables en género y número: *a red car* (un coche rojo), *red cars* (coches rojos), *the car is red* (el coche es rojo).

Comparativos

-De igualdad: *as ... as* (tan ... como) en frases afirmativas.

          not so ... as, en frases negativas.

-De inferioridad: *less ... than* (menos ... que)

-De superioridad: *more ... than* (más... que)

          -er ... than (*)

(*) Si el adjetivo es monosílabo o bisílabo con sonido corto se le añade **-er**: *long-longer* (largo-más largo), *small-smaller* (pequeño-menor). En los demás casos, se antepone **more** al adjetivo.

Superlativos

-Relativo: *the most ...* (para los adjetivos que forman el comparativo con *more*): *the most expensive* (el más caro).

            the ... -est (para los que tienen la forma *-er* en el grado comparativo): *the longest* (el más largo).

-Absoluto: *very ... : very long, very expensive* (muy largo, muy caro).

4. PRONOMBRES

Muchos pronombres tienen la misma forma que sus correspondientes adjetivos, diferenciándose únicamente por las distintas funciones que desempeñan en la frase.

PRONOMBRES PERSONALES

I (yo)	*me* (me, mí)
you (tú, Vd.)	*you* (te, ti)
he (él)	*him* (lo, le)
she (ella)	*her* (la, le)
it (*neutro)	*it* (lo)
we (nosotros/as)	*us* (nos)
you (vosotros/as, Vds.)	*you* (os)
they (ellos/ellas)	*them* (les)

(*) *It* se utiliza para referirse a cosas.

En inglés nunca se omiten los pronombres personales, aunque puedan sobrentenderse.

PRONOMBRES REFLEXIVOS

Singular	**Plural**
myself (me)	*ourselves* (nos)
yourself (te)	*yourselves* (os)
himself (se)	*themselves* (se)
herself (se)	
itself (se)	

Además del valor propiamente reflexivo, pueden usarse para expresar la idea: "uno mismo", "en persona".

ADJETIVOS Y PRONOMBRES POSESIVOS

my (mi, mis)   *mine* (mío, -a, -os, -as)

your (tu, tus)   *yours* (tuyo, -a, -os, -as)

his (su -de él-)   *his* (suyo, -a, -os, -as)

her (su, -de ella-)   *hers* (suyo, -a, -os, -as)

its (su, -de una cosa-)   *its* (suyo, -a, -os, -as)

our (nuestro, -a, -os, -as)   *ours* (nuestro, -a, -os, -as)

your (vuestro, -a, -os, -as)   *yours* (vuestro, -a, -os, -as)

their (su, sus)   *theirs* (su, sus)

Son invariables en género y número.

Genitivo sajón: Es una forma de expresar la posesión en inglés, especialmente cuando el poseedor es una persona. Se construye añadiendo **'s** al sustantivo sin artículo: *Robert's dog* (el perro de Roberto).

ADJETIVOS Y PRONOMBRES DEMOSTRATIVOS

this (este, esta)   *these* (estos, estas)

that (ese, esa/aquel, aquella)   *those* (esos/esas/aquellos/as)

Tienen las mismas formas, tanto en la función de adjetivo como en la de pronombre.

ADJETIVOS Y PRONOMBRES RELATIVOS E NTERROGATIVOS

who (quien, el/la que)   *who?* (¿quién/quiénes?)

whom (a quien, al que)   *whom?* (¿a quién?)

whose (cuyo, -a, -os, -as)   *whose?* (¿de quién?)

which (que, el/la cual)   *which?* (¿cuál?)

what (que, lo que)   *what?* (¿qué?)

That es únicamente pronombre y se traduce por "que".

ADJETIVOS Y PRONOMBRES INDEFINIDOS

each/every (cada)

everybody (cada uno)

another (otro, -a)

other (otros, -as)

all (todo, -a, -os, -as)

whole (todo, entero)

several (varios, -as)

enough (bastante)

much (mucho, -a)

little (poco, -a)

many (muchos, -as)

few (pocos, -as)

nobody (nadie)

nothing (nada)

*some** (algún, -a, -os, -as)

*any** (algún, -a)

*somebody, anybody** (alguien)

*something, anything** (algo)

too much (demasiado, -a)

no (ningún, -a)

too many (demasiados, -as)

both (ambos, -as)

(*) **Some** y sus compuestos se usan en frases afirmativas y **any** y sus compuestos, en frases interrogativas o negativas.

5. ADVERBIOS

de tiempo

today (hoy)

yesterday (ayer)

tomorrow (mañana)

before (antes)

after, afterwards (después)

already (ya)

still, yet (todavía)

early (temprano)

late (tarde)

now (ahora)

soon (pronto)

later (luego)

again (otra vez)

then (entonces)

the day before yesterday (anteayer)

the day after tomorrow (pasado mañana)

de frecuencia

always (siempre)

never (nunca)

sometimes (a veces)

often (a menudo)

once (una vez)

twice (dos veces)

ever (alguna vez)

usually (normalmente)

many times (muchas veces)

de probabilidad

maybe, perhaps (quizá)

possibly (posiblemente)

probably (probablemente, a lo mejor)

de intensidad

nearly, almost (casi)   *very* (muy)

quite (bastante)   *hardly* (apenas)

totally (totalmente)

de lugar

here (aquí)   *there* (ahí)

over there (allí)   *in front of* (delante)

behind (detrás)   *opposite* (enfrente)

near (cerca)   *far, away* (lejos)

up, upstairs (arriba)   *down, downstairs* (abajo)

in, inside (dentro)   *everywhere* (en todas partes)

out, outside (fuera)   *around* (alrededor)

de modo

well (bien)   *bad* (mal)

slowly (despacio)   *quickly* (rápidamente)

y la mayoría de los adverbios formados añadiendo la terminación
-ly al adjetivo.

de afirmación/negación

yes (sí)   *no* (no)

not at all (en absoluto)   *indeed* (verdaderamente)

of course (por supuesto)

relativos   **interrogativos**

when (cuando)   *when?* (¿cuándo?)

where (donde)   *where?* (¿dónde?)

why (por que, por lo que)   *why?* (¿por qué?)

6. PREPOSICIONES

about (sobre)

after (después, tras)

along (a lo largo de)

around (alrededor)

before (antes, ante)

beside (junto a)

between (entre)

during (durante)

from (de, desde)

of (de)

on (en, sobre)

since (desde)

till (hasta)

towards (hacia)

until (hasta)

with (con)

above (encima de)

against (contra)

among (entre)

at (a, en)

below (debajo de, bajo)

besides (además)

by (por, durante)

for (para, por)

in (en)

off (fuera de)

over (sobre)

through (a través de, por)

to (a, para)

under (debajo de)

up (en lo alto de)

without (sin)

7. CONJUNCIONES

and (y)

or (o)

nor, neither (ni)

also, too, as well (también)

if, whether (si)

not even (ni siquiera)

nevertheless (sin embargo)

as, since (como)

when (cuando)

while (mientras)

because (porque)

but (pero)

although (aunque)

so that (para que)

8. VERBOS

En inglés, los verbos no tienen terminaciones especiales para las distintas personas, excepto la tercera persona del singular del presente de indicativo que lleva añadido el sufijo **-s**. Por esta razón, es absolutamente imprescindible el uso del pronombre sujeto para poder distinguir las personas.

Las terminaciones verbales son mucho menos numerosas que en español, reduciéndose a tres en un verbo regular:

-s (para la 3ª persona del singular del presente de indicativo): *he gives* (él da).

-ed (para el pretérito indefinido y el participio pasivo): *he closed* (él cerró), *closed* (cerrado).

-ing (para el gerundio): *working* (trabajando).

Algunos tiempos (como el futuro y el condicional) se forman añadiendo verbos auxiliares: *he will work* (él trabajará).

VERBOS REGULARES

Infinitivo	Participio	Gerundio
to work	worked	working

Presente	I work	He/she works
Pret. indefinido	I worked	He/she worked
Pret. perfecto	I have worked	He/she has worked
Pluscuamperfecto	I had worked	He/she had worked
Futuro	I shall work	He/she will work
Condicional	I should work	He/she would work

Los TIEMPOS COMPUESTOS se forman con el verbo auxiliar *to have* (haber) y el participio pasado.

La FORMA NEGATIVA presenta las estructuras siguientes:

1. Sujeto + verbo auxiliar do + not + verbo principal.

> *I do not work* (no trabajo)
> *he does not work* (él no trabaja)

2. Sujeto + *verbo "especial" + not.

> *I am not* (no soy)

(*) Son verbos "especiales": *to be* (ser), *to have* (haber, tener), *can* (poder), *must* (deber), *will* (querer), *may* (poder).

La FORMA INTERROGATIVA presenta asimismo dos estructuras diferentes:

1. Verbo auxiliar do + sujeto + verbo principal.

> *Do you work?* (¿Trabajas?)

2. Verbo "especial" + sujeto.

> *Can you?* (¿Puedes?)

VERBOS IRREGULARES

TO BE (ser, estar)
Pres. *I am, you are, he/she/it is, we are, you are, they are*
Pasado. *I was, you were, he ... was, we were, you were, they were*

TO HAVE (haber, tener)
Pres. *I have, you have, he/she/it has, we have, you have, they have*
Pasado. *I had, you had, he/she/it had, we had, you had, they had*

VERBOS IRREGULARES MÁS FRECUENTES

Infinitivo	Pasado	Participio
to begin	*began*	*begun*
to bring	*brought*	*brought*
to come	*came*	*come*
to do	*did*	*done*
to drink	*drank*	*drunk*
to eat	*ate*	*eaten*
to find	*found*	*found*
to get	*got*	*got*
to give	*gave*	*given*
to go	*went*	*gone*
to say	*said*	*said*
to see	*saw*	*seen*
to speak	*spoke*	*spoken*
to take	*took*	*taken*
to tell	*told*	*told*
to understand	*understood*	*understood*
to write	*wrote*	*written*

NÚMEROS

1. One. *Uán*
2. Two. *Túu*
3. Three. *Zrii*
4. Four. *Fóor*
5. Five. *Fáiv*
6. Six. *Siks*
7. Seven. *Séven*
8. Eight. *Éit*
9. Nine. *Náin*
10. Ten. *Ten*

11. Eleven. *Iléven*
12. Twelve. *Tuélv*
13. Thirteen. *Zertíin*
14. Fourteen. *Foortíin*
15. Fifteen. *Fiftíin*
16. Sixteen. *Sikstíin*
17. Seventeen. *Seventíin*
18. Eighteen. *Eitíin*
19. Nineteen. *Naintíin*
20. Twenty. *Tuénti*

21. Twenty-one. *Tuénti-uán*
22. Twenty-two. *Tuénti-túu*
23. Twenty-three. *Tuénti-zrii*
24. Twenty-four. *Tuénti-fóor*

30. Thirty. *Zérti*
40. Forty. *Fóorti*
50. Fifty. *Fífti*
60. Sixty. *Síksti*
70. Seventy. *Séventi*
80. Eighty. *Éiti*
90. Ninety. *Náinti*

100. A hundred. *A jándred*
200. Two hundred. *Túu jándred*
300. Three hundred. *Zríi jándred*
400. Four hundred. *Fóor jándred*
500. Five hundred. *Fáiv jándred*
600. Six hundred. *Siks jándred*
700. Seven hundred. *Séven jándred*
800. Eight hundred. *Éit jándred*
900. Nine hundred. *Náin jándred*
1.000. A thousand. *A záusend*
2.000. Two thousand. *Túu záusend*
5.000. Five thousand. *Fáiv záusend*
10.000. Ten thousand. *Ten záusend*
100.000. A hundred thousand. *A jándred záusend*
1.000.000. A million. *A mílion*

1º. First. *Ferst*
2º. Second. *Sécond*
3º. Third. *Zerd*
4º. Fourth. *Fóorz*
5º. Fifth. *Fifz*
6º. Sixth. *Sixz*
7º. Seventh. *Sévenz*
8º. Eighth. *Éiz*
9º. Ninth. *Náinz*
10º. Tenth. *Tenz*

1/2. One half. *Uán jaf*
1/3. One third. *Uán zerd*
1/4. One quarter. *Uán cuóta*
1/5. One fifth. *Uán fifz*
1/10. One tenth. *Uán tenz*

PESOS Y MEDIDAS

Longitud

1 inch	= 1 pulgada	= 2,54 cm
1 foot	= 1 pie	= 30,48 cm
1 yard	= 1 yarda	= 91,44 cm
1 mile	= 1 milla	= 1,60 km

Peso

1 ounce	= 1 onza	= 28,35 g
1 pound	= 1 libra	= 460 g

Capacidad

1 pint	= 1 pinta	= 0,57 litro
1 gallon	= 1 galón	= 4,54 l
1 quart	= 1 cuarto de galón	= 1,13 l

Temperatura

32º F = 0º C

Para convertir grados centígrados en grados Fahrenheit, hay que multiplicar por 9/5 y sumar 32.

VIDA DIARIA

SALUDOS

Buenos días
Good morning
Gudmóoning

Buenas tardes
Good afternoon
Gudáftanuun

Buenas noches
Good evening
Gudívning

Buenas noches
Good night
Gudnáit

Hola
Hello
Jélou

Adiós
Goodbye
Gudbái

Hasta luego
See you later
Sii iú léita

Hasta mañana
See you tomorrow
Sii iú tumórou

Hasta pronto
See you soon
Sii iú súun

¿Cómo está Vd./estás?
How are you?
Jáu ar iú?

¿Qué tal?
How are you?
Jáu ar iú?

¿Cómo le/te va?
How's it going?
Jáu ísit góing?

Estoy bien, gracias
I'm fine, thanks
Áim fáin, zanks

No me va mal, gracias
Not too bad, thanks
Not túu bad, zanks

Y tú ¿qué tal?
How about you?
Jáu abáut iú?

¿Cómo está su/tu familia?
How is your family?
Jau is yor fámili?

Me alegro
I'm glad
Áim glad

Me alegro de volver a verle/te
Nice to see you again
Náis tu síi iú eguéin

¡Cuánto tiempo sin verle/te!
It has been a long time!
It jas bíin a long táim!

¿Cómo se/te encuentra(s) hoy?
How do you feel today?
Jau du iú fiil tudéi?

Recuerdos a todos
Give my regards to everybody
Guiv mai rigáads tu evribáadi

Besos a los niños
Give my love to the children
Guiv mai lav tu de chíldren

PRESENTACIONES

Señor (...)	Mr (...)	*Místa (...)*
Señora (...)	Mrs (...)	*Mísis (...)*
Los señores (...)	Mr and Mrs (...)	*Místa and mísis (...)*
Señor	Sir	*Ser*
Señora	Madam	*Mádam*

¿Cómo se/te llama(s)?
What's your name?
Uóts yor néim?

Me llamo ...
My name is ...
Mai néim is ...

Mucho gusto
How do you do?
Jauduyudú?

Encantado/a
Pleased/nice to meet you
Plíist/náis tu míitiu

Este es el Sr. ...
This is Mr ...
Dis is místa ...

Esta es la Sra. ...
This is Mrs ...
Dis is mísis ...

Le/Te presento a ...
Let me introduce you ...
Létmi introdiúsiu ...

Quiero presentarle/te a ...
I'd like to introduce you to ...
Áid láik tu introdiúsiu tu ...

¿Conoce(s) ya al Sr. ...?
Have you already met Mr ...?
Jáviu ólredi met místa ...?

¿Es Vd. el Sr. .../la Sra. ...?
Are you Mr .../Mrs ...?
Ar iú místa .../mísis ...?

Sí, soy yo
Yes, I am
Yes, ái am

DATOS PERSONALES

Nombre	Name	*Néim*
Apellido	Surname	*Sérneim*
Edad	Age	*Éich*
Estado civil	Marital status	*Máritel stéitus*
Soltero/a	Single	*Sínguel*
Casado/a	Married	*Mérid*
Divorciado/a	Divorced	*Divórst*
Separado/a	Separated	*Separítid*
Viudo/a	Widow(er)	*Uídou/uidóua*
Profesión	Profession	*Proféshien*
Dirección/Domicilio	Address	*Ádres*

Pasaporte
Passport
Pásport

DNI
Identity card number
Aidéntiti card námba

Fecha de nacimiento
Date of birth
Déit ov berz

Lugar de nacimiento
Place of birth
Pléis ov berz

¿Cómo se llama Vd.?/¿Cuál es su nombre?
What is your name?
Uóts yor néim?

¿Cuál es su dirección/¿Dónde vive Vd.?
What is your address?/Where do you live?
Uóts yor ádres?/Uéa du iú liv?

¿De dónde es Vd.?/¿Cuál es su nacionalidad?
Where are you from?/What is your nationality?
Uéa ar iú from?/Uóts yor nashionáliti?

¿Cómo te llamas?/¿Cuál es tu nombre?
What is your name?
Uóts yor néim?

¿Cuál es tu dirección?/¿Dónde vives?
What is your address?/Where do you live?
Uóts yor ádres?/Uéa du iú liv?

¿De dónde eres?/¿Cuál es tu nacionalidad?
Where are you from?/What is your nationality?
Uéa ar iú from?/Uóts yor nashionáliti?

Soy de ...
I'm from ...
Áim from ...

Nací en ...
I was born in ...
Ái uás born in ...

¿Cuál es su/tu número de teléfono?
What is your phone number?
Uóts yor fóun námba?

¿Cuál es su/tu correo electrónico?
What's your e-mail address?
Uóts yor ii-méil ádres?

¿Cuántos años tiene(s)?
How old are you?
Jau ould ar iú?

FAMILIA

Abuelo/a	Grandfather/ grandmother	*Grandfáda/granmáda*
Abuelos	Grandparents	*Granpárents*
Cuñado/a	Brother/sister-in-law	*Bróda/sísta inló*
Esposa (mujer)	Wife	*Uáif*
Esposo (marido)	Husband	*Jásband*
Hermano/a	Brother/sister	*Bróda/sísta*
Hijo/a	Son/daughter	*Son/dóota*
Madre	Mother	*Máda*
Nieto/a	Grandson/ granddaughter	*Grándson/ grand-dóota*
Novio/a	Boyfriend/girlfriend	*Bóifrend/guérlfrend*
Nuera	Daughter-in-law	*Dóota inló*
Padre	Father	*Fáda*
Padres	Parents	*Párents*
Primo/a	Cousin	*Cásin*
Sobrino/a	Nephew/niece	*Néfiu/níis*
Suegro/a	Father/mother-in-law	*Fáda/máda inló*
Tío/a	Uncle/aunt	*Ónkel/áant*
Yerno	Son-in-law	*Son inló*
Parientes	Relatives	*Rélatifs*
Conocido	Acquaintance	*Acuéintans*

¿Tienes hermanos?
Do you have any brothers or sisters?
Du iú jav éni bródas or sístas?

Sí, tengo un hermano mayor
Yes, I've got an elder brother
Yes, áiv got an élda bróda

¿Tienes hijos?
Do you have any children?
Du iú jav éni chíldren?

Sí, tengo dos niños
Yes, I've got two kids
Yes, áiv got túu kids

HACER UNA CITA

¿Qué haces esta tarde/esta noche?
Are you up to anything this evening?
Ar iú ap tu énizing dis ívning?

¿Tienes algún plan para esta tarde/el fin de semana?
Have you got any plans for this evening/the weekend?
Jáviu got éni plans for dis ívning/de uíikend?

¿Estás libre mañana por la tarde?
Are you perhaps free tomorrow afternoon?
Ar iú perjáps fríi tumórou áftanuun?

¿Qué te gustaría hacer esta tarde/esta noche?
What would you like to do this evening?
Uót wud iú láik tu du dis ívning?

¿Quieres ir a algún sitio el fin de semana?
Do you want to go somewhere at the weekend?
Du iú uónt tu góu sám-uéa at de uíikend?

¿Qué te parece si vamos a dar un paseo?
What about going for a walk?
Uót abáut góing for a uók?

¿Quieres acompañarme a tomar algo?
Would you like to join me for something to drink?
Wud iú láik tu yóinmi for sámzing tu drink?

Sí, claro
Sure
Shúa

Me encantaría
I'd love to
Áid lov tu

Estoy demasiado cansado/a
I'm too tired
Áim túu táird

Me quedaré en casa esta noche
I'm staying in tonight
Áim stéiing in tunáit

Ahora estoy muy ocupado/a
I'm very busy at the moment
Áim véri bísi at de móument

¿Qué día te vendría bien?
What date would be suitable?
Uót déit wud bíi súutebel?

¿A qué hora quedamos?
What time shall we meet?
Uót táim shel uí míit?

A las nueve en punto
At nine o'clock
At náin oclóck

¿Dónde quieres que nos encontremos?
Where would you like to meet?
Uéa wud iú láik tu míit?

Nos vemos a las diez en el bar ...
I'll see you at ten o'clock in the ... pub
Áil síiiu at ten oclóck in de ... pab

¡Nos vemos allí!
See you there!
Síi iú déa!

Avísame si no puedes venir
Let me know if you cannot make it
Létmi nóu if iú cant méikit

Te llamo luego
I'll call you later
Áil colu léitu

Llegaré un poco tarde
I'm running a little late
Áim ráninq a lítel léit

Estaré allí en ... minutos
I'll be there in ... minutes
Áil bíi déa in ... mínits

¿Llevas mucho tiempo esperando?
Have you been waiting long?
Jáviu bíin uéiting long?

Perdón por la tardanza
Sorry for the delay
Sóri for de diléi

No pasa nada
That's fine
Dats fáin

PREGUNTAS Y RESPUESTAS BREVES

¿Quién es?
Who is it?
Júu isít?

¿Qué es eso?
What is that?
Uóts dat?

¿Dónde está?
Where is it?
Uéa isít?

¿Por qué?
Why?
Uái?

¿Cuál?
Which one?
Uích uán?

¿Cuánto/a/os/as?
How much/many?
Jau mach/méni?

¿Seguro?
Are you sure?
Ar iú shúa?

¿De verdad?
Really?
Ríili?

¿Vale?
OK?
Ou-kéi?

De acuerdo (Vale)
All right (OK)
Ol-ráit (Ou-kéi)

Sí
Yes
Yes

No
No
Nou

Es verdad
That's right
Dats ráit

Por supuesto
Of course
Ov cóors

Tiene Vd. razón
You are right
Iú ar ráit

Ya entiendo
I see
Ái síi

En absoluto
Not at all
Notatól

Depende
That depends
Dat dipénds

Nunca
Never
Néva

Nada
Nothing
Názing

No es así
It's wrong
Its rong

No creo
I don't think so
Ái dont zink sou

Muchas gracias
Thank you very much
Zénkiu véri mach

De nada
You are welcome
Iú ar uélcam

Por favor
Please
Plíis

Con mucho gusto
It's a pleasure
Its a plésha

Disculpe/a
Excuse me
Exkiús-mi

Perdón
Pardon
Párdon

Lo siento
Sorry
Sóri

¡Bienvenido/a!
Welcome!
Uélcam!

¡Salud!
Cheers!
Chías!

¡Jesús!/¡Salud!
Bless you!
Blésiu!

¡Felicidades!/¡Enhorabuena!
Congratulations!
Congratiuléishiens!

¡Suerte!
Good luck!
Gud lak!

¡Feliz cumpleaños!
Happy birthday!
Jápi bérzdei!

¡Feliz Navidad!
Merry Christmas!
Méri crísmas!

¡Feliz Año Nuevo!
Happy New Year!
Jápi niú yía!

¡Que duerma(s) bien!
Sleep well!
Slíip uél!

Igualmente
Same to you!
Séim tu iú!

¡Genial!
Great!
Gréit!

¡Bien hecho!
Well done!
Uél dan!

¡Qué pena!
What a pity!
Uót a píti!

¡No se/te preocupe(s)!
Don't worry!
Dont uóri!

Un momento, por favor
One moment, please
Uán móument, plíis

¿Tiene(s) un minuto?
Have you got a minute?
Jáviu got a mínit?

Cálmese/cálmate
Calm down
Cáam dáun

Tómese/Tómate tu tiempo
Take your time
Téik yor táim

Como quiera(s)
It's up to you
Its ap tu iú

¿Qué pasa?
What's the matter?
Uóts de máta?

¿Pasa algo malo?
Is anything wrong?
Is énizing rong?

¿Está(s) seguro/a?
Are you sure?
Ar iú shúa?

Es suficiente
That's enough
Dats enáf

Gracias por su/tu ayuda
Thanks for your help
Zanks for yor jelp

Aquí tiene
Here you are
Jía iú ar

¿Puedo ayudarle/te?
May I help you?
Méi ái jélpiu?

¡No se/te moleste(s)!
Don't bother!
Dont bóda!

No pasa nada
No problem
Nóu próblem

Está bien
That's fine
Dats fáin

¿Está todo bien?
Is everything OK?
Is évrizing óu-kéi?

No se/te olvide(s)
Don't forget
Dont forguét

No importa
It does not matter!
It dásent máta!

Sírvase usted mismo/a
Help yourself
Jelp yorsélf

Es Vd./eres muy amable
You are very kind
Iú ar véri káind

Quería (quisiera)…
I would like…
Aid láik…

¿Habla Vd./hablas español?
Do you speak Spanish?
Du iú spíik spánish?

No hablo inglés
I do not speak English
Ái dont spíik ínglish

Hablo un poco de inglés
I speak a little English
Ái spíik a lítel ínglish

¿Me comprende(s)?
Do you understand me?
Du iú anderstánd mi?

No comprendo
I do not understand
Ái dont anderstánd

¿Cómo?/¿Perdón?
Pardon?
Párdon?

Más despacio, por favor
Please, speak slowly
Plíis, spíik slóuli

¿Puede(s) escribirlo, por favor?
Please write it down
Plíis ràitit dáun

¿Cómo se escribe?
How do you write it?
Jau du iú ráitit?

Deletréelo/deletréalo, por favor
Can you spell it, please?
Can iú spélit, plíis?

¿Cómo se pronuncia?
How do you pronounce it?
Jau du iú pronáunsit?

¿Qué significa?
What does it mean?
Uót dásit míin?

¿Qué quiere(s) decir?
What do you mean?
Uót du iú míin?

¿Cómo dice(s)?
What did you say?
Uót did iú séi?

¿Cómo se dice ... en inglés?
How do you say ... in English?
Jau du iú séi ... in ínglish?

¿Puede(s) repetir, por favor?
Could you repeat, please?
Cud iú ripíit, plíis?

¡Deprisa! — Hurry up! — *Jári ap!*
¡Rápido! — Quickly! — *Cuíkli!*
¡Despacio! — Slowly! — *Slóuli!*
¡Entre!/¡Adelante! — Come in! — *Camín!*
¡Venga! — Come here/on! — *Cam jía!/Camón!*

¡Para/pare!
Stop it!
Stópit!

¡Cuidado!
Be careful!
Bíi kéaful!

¡Vete!
Go away!
Góu euéi!

¡Vamos!
Let's go!
Lets góu!

¡Deme/dame!
Give me!
Guívmi!

¡Escuche/a!
Listen!
Lísen!

¡Siéntese/siéntate!
Sit down!
Sit dáun!

Por favor, estate quieto
Please be quiet
Plíis bíi cuáiet

¡Socorro!
Help!
Jelp!

¡Adelante!
Go ahead!
Góu ajéd!

Silencio
Silence
Sáilens

¡Cállese/cállate!
Shut up!
Shátap!

Peligro	Danger	*Déinya*
Cuidado con ...	Beware of ...	*Biuéa ov ...*
Cerrado	Closed	*Clóust*
Abierto	Open	*Óupen*
Averiado	Out of order	*Aut ov órda*
Entrada	Entrance	*Éntrans*
Salida	Exit	*Éksit*
Ascensor	Lift	*Lift*
Libre	Vacant	*Véikant*
Privado	Private	*Práivit*
Tirar	Pull	*Pul*
Empujar	Push	*Push*
Parada	Stop	*Stop*
Servicios	Toilets	*Tóilets*
Señoras	Ladies	*Léidis*
Caballeros	Men	*Men*
Cambio	Exchange	*Ikschéinch*

Se vende
For sale
For séil

Se alquila
For rent (hire)
For rent (jáia)

Aparcamiento
Parking
Párking

Autoservicio
Self-service
Self-sérvis

Prohibido el paso
Keep out
Kípaut

Se prohíbe la entrada
No admittance
Nou admítans

Prohibido fumar
No smoking
Nou smóuking

Recién pintado
Wet paint
Uét péint

EL TIEMPO (ATMOSFÉRICO)

Tiempo	Weather	*Uéda*
Temperatura	Temperature	*Témpricha*
Clima	Climate	*Cláimit*

Pronóstico del tiempo
Weather forecast
Uéda fóocast

¿Qué tiempo hace?
What is the weather like?
Uóts de uéda láik?

Hace frío
It's cold
Its cóuld

Hace calor
It's hot
Its jot

Hace sol
It's sunny
Its sáni

Hace viento
It's windy
Its uíndi

Está nublado
It's cloudy
Its cláudi

Hay niebla
It's foggy
Its fógui

Está lloviendo
It's raining
Its réining

Va a llover
It's going to rain
Its góing tu rein

Ha dejado de llover
It has stopped raining
It jas stopt réining

Sigue lloviendo
It's still raining
Its stíl reining

Está nevando
It's snowing
Its snóuing

Está helando
It's freezing
Its fríising

Hace mal tiempo
The weather is bad
De uéda is bad

Hace un tiempo magnífico
It's a fine day
Its a fáin déi

Estamos a seis grados bajo cero
It's minus six (degrees)
Its máines six (digríis)

EL TIEMPO (CRONOLÓGICO)

Tiempo	Time	*Táim*
Reloj	Watch	*Uóch*
Hora	Hour	*Áua*
Media hora	Half an hour	*Jáfan áua*
Minuto	Minute	*Mínit*
Segundo	Second	*Sécond*
Mañana	Morning	*Móoning*
Mediodía	Noon (midday)	*Núun (míd-déi)*
Tarde	Afternoon/evening	*Áftanuun/ivning*
Noche	Night	*Náit*
Medianoche	Midnight	*Midnáit*
Día	Day	*Déi*
Semana	Week	*Uíik*
Mes	Month	*Manz*
Quincena	Fortnight	*Fótnait*
Año	Year	*Yía*
Siglo	Century	*Sénchuri*
Hoy	Today	*Tudéi*

Ayer	Yesterday	*Yésterdei*
Mañana	Tomorrow	*Tumórou*
Esta noche	Tonight	*Tunáit*
Fecha	Date	*Déit*
Día festivo	Bank Holiday	*Bank jólidei*

¿Qué hora es?
What time is it?
Uót táim isít?

Son las siete
It's seven o'clock
Its séven oclók

Las siete y diez
Ten past seven
Ten past séven

Las siete y cuarto
A quarter past seven
A cuóta past séven

Las siete y media
Half past seven
Jaf past séven

Las ocho menos cuarto
A quarter to eight
A cuóta tu éit

Es demasiado temprano/tarde
It's too early/late
Its túu éerli/léit

¿Puede decirme la hora, por favor?
Can you tell me the time, please?
Can iú télmi de táim, plíis?

¿A qué hora abre el museo?
What time does the museum open?
Uót táim das de miusíem óupen?

Días de la semana

Lunes	Monday	*Mándei*
Martes	Tuesday	*Tiúsdei*
Miércoles	Wednesday	*Uénsdei*
Jueves	Thursday	*Zérsdei*
Viernes	Friday	*Fráidei*

| Sábado | Saturday | *Sáterdei* |
| Domingo | Sunday | *Sándei* |

Meses del año ....

Enero	January	*Yánuari*
Febrero	February	*Fébruari*
Marzo	March	*March*
Abril	April	*Éipril*
Mayo	May	*Méi*
Junio	June	*Dyuun*
Julio	July	*Dyulái*
Agosto	August	*Ógost*
Septiembre	September	*Septémba*
Octubre	October	*Octóuba*
Noviembre	November	*Nouvémba*
Diciembre	December	*Disémba*

Estaciones del año ....

Invierno	Winter	*Uínta*
Primavera	Spring	*Spríng*
Verano	Summer	*Sáma*
Otoño	Autumn	*Ótom*

El domingo pasado
Last Sunday
Last sándei

El lunes próximo
Next Monday
Next mándei

¿Qué día es hoy?
What is the day today?
Uóts de déi tudéi?

Hoy es uno de abril
Today is the first of April
Tudéi is de ferst ov éipril

El 6 de noviembre de 1954
6th November nineteen fifty-four
Sixz nouvémba naintíin fifti-fóor

Navidad	**Año Nuevo**	
Christmas	New Year's Day	
Crísmas	*Niú yías déi*	
Semana Santa	**Primero de Mayo**	
Easter (Holy Week)	May Day	
Íster (jóli uíik)	*Méi déi*	

EN LA CIUDAD

Calle	Street, road	*Stríit, róud*
Avenida	Avenue	*Áviniu*
Paseo	Promenade	*Prominád*
Centro	City centre	*Síti sénta*
Esquina	Street corner	*Stríit córna*
Barrio	Suburb/district	*Sáberb/dístrikt*
Afueras	Outskirts	*Autskérts*
Puerto	Port/harbour	*Port/járbor*
Fuente	Fountain	*Fáuntin*
Plaza	Square	*Scuéa*
Puente	Bridge	*Brich*
Río	River	*Ríva*
Jardín	Garden	*Gárden*
Parque	Park	*Park*
Cruce	Crossroads	*Crósrouds*
Acera	Pavement	*Péivment*

Español	English	Pronunciación
Papelera	Litter bin	*Lítabin*
Buzón	Letter box/ mailbox	*Léta-báaks/ méil-báaks*
Semáforo	Traffic-lights	*Tráfic-láits*
Farola	Street light	*Stríit láit*

Paso subterráneo
Subway
Sab-uéi

Paso de cebra
Zebra crossing
Sébra crósing

Guardia de tráfico
Traffic policeman
Tráfic polísman

Cabina
Telephone box
Télifoun báaks

Por aquí
This way
Dis uéi

Por ahí
That way
Dat uéi

Todo recto
Straight on
Stréiton

A ... metros de aquí
... metres from here
... mítas from jía

A la izquierda
To the left
Tu de left

A la derecha
To the right
Tu de ráit

Delante
In front
In front

Detrás
Behind
Bijáind

Enfrente
Opposite
Óposit

Al doblar la esquina
Round the corner
Ráund de córna

Más adelante/atrás
Further on/back
Fáada on/bak

Más arriba/abajo
Further up/down
Fáada ap/dáun

Perdón, ¿podría decirme por dónde se va a la estación de autobuses?
Excuse me, could you tell me how to get to the bus station?
Exkiús-mi, cud iú télmi jáu tu guet tu de bas stéishen?

Perdón, ¿sabe usted dónde está ...?
Excuse me, do you know where the ... is?
Exkiús-mi, du iú nóu uéa de ... is?

Lo siento, no lo sé
I'm sorry, I don't know
Áim sóri, ái dont nóu

Estoy buscando esta dirección
I'm looking for this address
Áim lúking for dis ádres

¿Me lo puede indicar en el mapa?
Can you show me on the map?
Can iú shóumi on de map?

¿Está muy lejos?
Is it very far?
Isít véri far?

¿A qué distancia está?
How far away is it?
Jau far euéi isít?

En el primer semáforo, gire a la derecha
At the first set of traffic lights, turn right
At de ferst set ov tráfic-láits, tarn ráit

Siga por esta misma calle
Go straight on along this street
Góu stréiton along dis stríit

Al otro lado de la calle
On the other side of the road
On di óda sáid ov de róud

Es la paralela a ésta
It's the road parallel to this one
Its de róud párelel tu dis uán

Está muy lejos, es mejor que tome el autobús
It's a long way, you'd better take the bus
Its a long uéi, yud béta téik de bas

Sígame, yo también voy en esa dirección
Follow me, I'm going in that direction too
Fóloumi, áim góing in dat dairékshen túu

EDIFICIOS PÚBLICOS

Hospital	Hospital	*Jóspital*
Correos	Post office	*Póust ófis*
Estación	Station	*Stéishen*
Escuela	School	*Scúl*
Instituto	Institute	*Ínstitiut*
Universidad	University	*Iunivérsiti*
Castillo	Castle	*Cásel*
Palacio	Palace	*Pálas*
Iglesia	Church	*Cherch*
Catedral	Cathedral	*Cazídral*
Museo	Museum	*Miusíem*

Ayuntamiento	Town Hall	*Táun-jol*
Juzgado	Court	*Cóort*
Embajada	Embassy	*Émbesi*
Consulado	Consulate	*Cónsiulet*
Comisaría	Police station	*Políis stéishen*
Cementerio	Cemetery	*Sémetri*

Biblioteca pública
Public library
Páblic láibreri

Oficina de Turismo
Tourist board
Túrist bóod

En la oficina de turismo

Estamos buscando alojamiento
We're looking for some accommodation
Uí ar lúking for sam acomodéishen

¿Qué clase de alojamiento están buscando?
What sort of accommodation are you looking for?
Uót sort ov acomodéishen ar iú lúking for?

¿Tienen una lista de albergues juveniles?
Do you have a list of youth hostels?
Du iú jav a list ov yúuz jóstels?

¿Podrían recomendarme un buen restaurante?
Can you recommend a good restaurant?
Can iú recoménd a gud réstorant?

¿Tienen un plano de la ciudad?
Do you have a map of the city/town?
Du iú jav a map ov de síti/táun?

¿Tienen folletos sobre ...?
Do you have any brochures on ...?
Du iú jav éni bróushas on ...?

¿Hay visitas guiadas por la ciudad?
Is there a city tour?
Is déa a síti tur?

¿Hay viajes organizados de un día?
Are there any day trips?
Ar déa éni déi-trips?

¿Qué eventos culturales hay en la actualidad?
Are there any cultural events on at the moment?
Ar déa éni cáltsheral ivénts on at de móument?

¿Podría comprar aquí entradas para ...?
Can I book tickets for ... here?
Cánai buk tíkets for ... jía?

DE VIAJE

Viaje	Trip/journey	*Trip/yérni*
Destino	Destination	*Destinéishen*
Descuento	Discount	*Discáunt*
Oferta	Offer	*Ófer*
Vuelo	Flight	*Fláit*
Reserva	Reservation	*Reservéishen*
Cancelación	Cancellation	*Canseléishen*

Temporada alta/baja
High/low season
Jái/lóu síisen

Lista de espera
Waiting list
Uéiting list

Seguro de viaje
Travel insurance
Trável inshúorons

Vuelo chárter/regular
Charter/regular flight
Chárter/réguiula fláit

Viaje organizado
Package tour
Pákich tur

Estación de esquí
Ski resort
Ski risórt

Parque de atracciones
Theme park
Cíim park

Lugares de interés
Sightseeing
Sáitsiing

Excursiones diarias
Daily tours
Deíli turs

Viaje de negocios
Business trip
Bísnes trip

Viaje de novios
Honeymoon
Jánimuun

Alojamiento	Accommodation	*Acomodéishen*
Hotel	Hotel	*Joutél*
Pensión/hostal	Guesthouse	*Guest-jáus*
Albergue	Hostel	*Jóstel*
Casas rurales	Country retreats	*Cáuntri ritríits*

Alojamiento y desayuno
Accommodation with breakfast included
Acomodéishen uíd brékfast inclúudid

Queremos hacer un crucero por el Mediterráneo
We want to take a Mediterranean cruise
Uí uónt tu téik a mediteréinian crúus

Quiero hacer un viaje por todo el país
I want to travel all around the country
Ái uónt tu trável ol aráund de cáuntri

Desearía visitar la región de ...
I'd like to visit the ... region
Áid láik tu vísit de ... ríyen

¿Qué ciudades me aconseja que visite?
What towns do you advise me to visit?
Uót táuns du iú adváismi tu vísit?

Me gustaría salir la semana próxima
I'd like to leave next week
Áid láik tu liiv next uíik

Quisiera alojarme en hoteles de cuatro estrellas
I'd like to stay at four stars hotels
Áid láik tu stéi at fóor star joutéls

Quiero ir a ... en avión
I want to go to ... by plane
I uónt tu góu tu ... bái pléin

Son tres horas de vuelo
It's a three-hour flight
Its a zríi-áua fláit

El avión hace escala en ...
The plane stops over in ...
De pléin stops óva in ...

¿Cuánto cuesta el vuelo?
What does the flight cost?
Uót das de fláit cost?

Resérveme dos plazas
Book me two seats
Búkmi túu síits

¿Cómo puedo ir al aeropuerto?
How can I get to the airport?
Jau cánai guet tu di éerport?

¿Con qué antelación hay que estar en el aeropuerto?
How soon should we be at the airport before take-off?
Jau súun chud uí bíi at di éerport bifór téikof?

¿Cuánto peso está permitido?
What weight am I allowed?
Uót uéit ámai aláud?

¿Tienen folletos turísticos?
Have you got any tourist brochures?
Jáviu got éni túurist bróushas?

¡Buen viaje!
Have a good trip!
Jav a gud trip!

Aduana	Customs	*Cástoms*
Documentación	Documentation	*Dokiumentéishen*
Pasaporte	Passport	*Pásport*
Visado de entrada	Entry visa	*Éntri vísa*
Equipaje	Luggage	*Láguich*
Maleta	Suit (suitcase)	*Súut (súutkeis)*
Bolso de mano	Handbag	*Jándbag*
Regalo	Present, gift	*Prísent, guift*

Control de pasaportes
Passport control
Pásport contróul

Derechos de aduana
Customs duties
Cástoms diútis

Nada que declarar
Nothing to declare
Názing tu diclér

Ciudadanos no comunitarios
Non-EU citizens
Non iú sítisens

Su pasaporte, por favor
Passport, please
Pásport, plíis

Aquí tiene
Here you are
Jía iú ar

Su pasaporte está caducado
I'm afraid your passport has expired
Áim afréid yor pásport jas ikspáird

¿Desde dónde viaja?
Where have you travelled from?
Uéa jáviu tráveld from?

¿Cuál es el motivo de su visita?
What is the purpose of your visit?
Uóts de pérpos ov yor vísit?

Vacaciones, turismo, asuntos familiares, estudios
Holidays, touring, family affairs, studies
Jólideis, túuring, fámili áfers, stádis

¿Cuánto tiempo va a permanecer aquí?
How long will you be staying?
Jaú long uíliu bíi stéiing?

¿Dónde va a alojarse?
Where will you be staying?
Uéa uíliu bíi stéiing?

Debe rellenar este formulario de inmigración
You have to fill in this immigration form
Iú jav tu fil in dis imigréishen form

No llevo moneda extranjera
I haven't got any foreign currency
Ái jávent got éni fóren cárensi

¿Tiene algo que declarar?
Do you have anything to declare?
Du iú jav énizing tu diclér?

¿Podría abrir esa bolsa/esa maleta, por favor?
Could you open this bag/this suitcase, please?
Cud iú óupen dis bag/dis súutkeis, pilis?

Debe pagar recargo por estos objetos
You have to pay duty on these items
Iú jav tu péi diúti on díis áitems

¿Está todo en orden?
Is everything OK?
Is évrizing óu-kéi?

¿Dónde está la oficina de cambio?
Where is the exchange office?
Uéa is di ikschéinch ófis?

¿Cuál es la cotización de la libra/del euro/del dólar?
What is the rate for the pound/the euro/the dollar?
Uóts de réit for de páund/di iúrou/de dála?

¿Puede cambiarme ... en libras/dólares?
Can you change me ... into pounds/dollars?
Can iú chéinch mi ... íntu páunds/dálers?

¿Dónde hay una parada de taxis/de autobuses?
Where is a taxi rank/a bus stop?
Uéa is a téksi rank/a bástop?

EN AVIÓN

EN EL AEROPUERTO

Aeropuerto	Airport	*Éerport*
Avión	Plane	*Pléin*
Billete	Ticket	*Tíket*
Vuelo	Flight	*Fláit*
Pasajero	Passenger	*Pásenya*
Horario	Timetable	*Táim-téibel*
Facturación	Check-in desk	*Chékin desk*
Líneas aéreas	Airlines	*Eerláins*
Mostrador	Airline counter	*Érlain cáunta*
Escala	Stopover	*Stop-óva*
Llegadas	Arrivals	*Aráivels*
Salidas	Departures	*Dipárchas*

Vuelo directo
Non-stop flight
Nonstóp fláit

Vuelo nacional/internacional
International/domestic flight
Internéshenal/doméstic fláit

¿Me enseña su billete, por favor?
Can I see your ticket, please?
Cánai síi yor tíket, plíis?

Su pasaporte, por favor
Do you have your passport with you?
Du iú jav yor pásport uíd iú?

¿Qué equipaje va a facturar?
How many bags are you checking?
Jáu méni bags ar iú chéking?

¿Llevará equipaje de mano?
Will you be bringing a carry-on luggage?
Uíliu bíi brínguing a cári-on láguich?

Tendrá que pagar por exceso de equipaje
You are going to have to pay the overweight
Iú ar góing to jav tu péi de óva-uéit

¿Necesita etiquetas para su equipaje?
Do you need any tags for your luggage?
Du iú níid éni tags for yor láguich?

¿Pasillo o ventanilla?
Would you like an aisle or a window seat?
Wud iú làik an áil or a uíndou síit?

Debe embarcar por la puerta ...
You'll board at gate ...
Yul bord at guéit ...

Debe estar en la puerta de embarque treinta minutos antes
Please be at the gate thirty minutes before your flight
Plíis bíi at de guéit zérti mínits bifór yor fláit

¿A qué hora sale el vuelo ... para...?
What time does flight ... for ... leave?
Uót táim das fláit ... for ... líiv?

Su vuelo saldrá a la hora prevista
Your flight is expected to take off on time
Yor fláit is ikspéctid tu téikof on táim

Su vuelo tiene un retraso de dos horas
Your flight has been delayed by two hours
Yor fláit jas bíin diléid baí túu áuas

El vuelo ... con destino a ... ha sido cancelado
Flight ... to ... has been cancelled
Fláit ... tu ... jas bíin cánseld

¿Dónde puedo conseguir un carrito/una silla de ruedas?
Where can I get a luggage trolley/a wheelchair?
Uéa cánai guet a láguich tráli/a uíil-chéa?

Control de pasaportes	**Detector de metales**
Passport control	Metal detector
Pásport contróul	*Métal ditéctor*

Por favor, su pasaporte y su tarjeta de embarque
Could I see your passport and boarding card, please?
Cud ái síi yor pásport and bórding card, plíis?

Ponga todos los objetos metálicos en la cesta, por favor
Could you put any metallic objects into the tray, please?
Cud iú put éni metálic obyécts íntu de tréi, plíis?

¿Lleva algún líquido u objeto punzante en su equipaje de mano?
Do you have any liquids or sharp objects in your hand luggage?
Du iú jav éni lícuids or sharp obyécts in yor jand-láguich?

¿Podría quitarse el cinturón, por favor?
Could you take off your belt, please?
Cud iú téikof yor belt, plíis?

Sala de espera
Departures lounge
Dipárchas láunch

Puerta de embarque
Gate
Guéit

Tienda libre de impuestos
Duty free shopping
Diúti frii shóping

El vuelo con destino a ... (procedente de ...)
The flight to ... (from ...)
De fláit tu ... (from ...)

Busco la terminal...
I'm looking for the ... terminal
Áim lúking for de ... términal

Se ruega a los pasajeros del vuelo ... embarquen por la puerta ...
Passengers for flight ... should go to gate ...
Pásenyas for fláit ... góu tu guéit ...

Última llamada para los pasajeros del vuelo ...
This is the final boarding call for passengers booked on flight ...
Dis is de fáinal bórding col for pásenyas búkt on fláit ...

DURANTE EL VUELO

Primera clase
First class
Ferst clas

Clase turista
Economy class
Icánemi clas

¿Cuál es el número de su asiento, por favor?
What's your seat number, please?
Uóts yor síit námba, plíis?

¿Podría colocar eso en el compartimento superior?
Could you please put that in the overhead locker?
Cud iú plíis put dat in de óva-jed láaca?

Asiento	Seat	*Síit*
Piloto	Pilot	*Páilot*
Azafata	Stewardess	*Stíuardes*
Tripulación	Crew	*Cruu*
Despegue	Take-off	*Téikof*
Aterrizaje	Landing	*Lánding*
Chaleco salvavidas	Life jacket	*Láif yáket*
Servicios	Lavatory	*Lávatri*

Por favor, abróchense los cinturones y pongan sus asientos en posición vertical
Please fasten your seatbelt and return your seat to the upright position
Plíis fásen yor síit-belt and ritárn yor síit tu de áp-rait posíshen

Por favor, apaguen sus teléfonos móviles y demás aparatos electrónicos
Please turn off all mobile phones and electronic devices
Plíis tarn of ol móubail fóuns and ilectráanic diváis

Está prohibido fumar durante todo el vuelo
Smoking is prohibited for the duration of the flight
Smóuking is projíbitid for de diuréishen ov de fláit

Bandeja de comida	**Comida vegetariana**
Meal tray	Vegetarian meal
Míil tréi	*Vedyitérian míil*

Mareo
Motion sickness
Móushen síknes

Turbulencia
Turbulence
Térbiulens

Tomaremos tierra dentro de diez minutos
We shall land in ten minutes
Uí shel land in ten mínits

Por favor, permanezcan en sus asientos hasta que el aparato se haya inmovilizado totalmente
Please stay in your seat until the aircraft has come to a complete standstill
Plíis stéi in yor síit ontíl di éercraft jas cam tu a complíit stand-stíl

Recojan su equipaje en la terminal
Pick up your luggage at the terminal
Pícap yor láguich at de términal

Se me ha perdido una maleta
One of my suitcases has been lost
Uán ov mai suutkéisis jav bíin lost

¿Dónde puedo reclamar?
Where can I report it?
Uéa cánai ripórt it?

Objetos perdidos
Lost property
Lost prápeti

Rellene esta hoja de reclamaciones
Fill in this claim form
Fil in dis cléim form

Tren	Train	*Tréin*
Estación	Station	*Stéishen*
Andén	Platform	*Plátform*
Vía	Track	*Trak*
Vagón	Carriage/Car	*Cárich/car*
Litera	Couchette	*Cushét*
Compartimento	Compartment	*Compártment*
Asiento	Seat	*Síit*
Viajero	Passenger	*Pásenya*
Revisor	Inspector	*Inspéctor*
Bolsa	Bag	*Bag*
Mochila	Rucksack	*Rúksak*
Maletín	Briefcase	*Briifkeis*

Despacho de billetes
Ticket office
Tíket ófis

Billete de ida/de ida y vuelta
Single/return ticket
Sínguel/ritárn tíket

Primera clase
First class
Ferst clas

Clase turista
Coach class
Cóuch clas

Coche-cama
Sleeping car
Slíiping car

Cuadro de horarios
Timetable
Táim-téibel

Consigna
Left-luggage
Left-láguich

Objetos perdidos
Lost property
Lost prápeti

AVE, tren de cercanías
High-speed train, local train
Jái-spíid tréin, lóucal tréin

¿En qué ventanilla despachan los billetes para ...?
At which ticket office do I get a ticket to ...?
At uích tíket-ófis du ái guet a tíket tu ...?

¿Dónde están las máquinas expendedoras de billetes?
Where are the ticket machines?
Uéa ar de ticket-mashíins?

¿Hay un tren para ...?
Is there a train to ...?
Is déa a tréin tu ...?

Dos billetes para ...
Two tickets to ...
Túu tíkets tu ...

¿Cúanto cuesta un billete de ida y vuelta a ...?
How much does a return ticket to ... cost?
Jau mach das a ritárn tíket tu ... cost?

¿Hay descuentos para estudiantes/niños/pensionistas?
Is there a half price ticket for students/children/senior citizens?
Is déa a jaf práis tíket for stiúdents/chíldren/síinior sítisens?

¿Para cuándo quiere la vuelta?
When will you be coming back?
Uén uíliu bíi cáming back?

¿A qué hora sale el último tren para ...?
What time is the last train to ...?
Uót táim is de last tréin tu ...?

¿Tengo que hacer transbordo?
Do I have to change trains?
Du ái jav tu chéinch tréins?

¿Para este tren en ...?
Does this train stop at ...?
Das dis tréin stop at ...?

¿A qué hora llega a ...?
What time does it arrive at ...?
Uót táim dásit aráiv at ...?

¿Me da un horario, por favor?
Can I have a timetable please?
Cánai jav a táim-téibel, plíis?

¿De qué andén sale el tren para ...?
Which platform do I need for ...?
Uích plátform du ái níid for ...?

El tren con destino a ... saldrá del andén ...
The next train to ... will depart from platform ...
De next tréin tu ... uíl depárt from plátform ...

¿Está libre/ocupado este asiento?
Is this seat vacant/taken?
Is dis síit véicant/téiken?

¿Hay vagón-restaurante en este tren?
Is there a buffet car on the train?
Is déa a búfei car on de tréin?

¿Cuál es la próxima estación?
Which station is next?
Uích stéishen is next?

EN COCHE

Carretera	Road	*Róud*
Autopista	Motorway	*Móutor-uéi*
Autovía	Dual carriageway	*Dúal cárich-uéi*
Carretera Nacional	Main road	*Méin róud*
Coche	Car	*Car*
Autocar	Coach	*Cóuch*
Camión	Lorry	*Lóri*
Autobús	Bus	*Bas*
Furgoneta	Van	*Van*

Moto	Motorcycle	*Móutor-sáikel*
Peaje	Toll	*Tol*
Cruce	Crossroads	*Crósrouds*

Área de descanso
Rest area
Rest éria

Área de servicio
Services
Sérvisis

Límite de velocidad
Speed limit
Spíid límit

Permiso de conducir
Driving licence
Dráiving láisens

Paso a nivel
Level crossing
Lével crossing

Curva peligrosa
Dangerous bend
Déinyerous bend

Cambio de sentido
U-turn
Iú-tarn

Desviación
Diversion
Dáivershen

Dirección única
One-way street
Uán-uéi stríit

Calle sin salida
Dead end
Ded end

Paso de peatones
Pedestrian crossing
Pidéstrian crósing

Señal de tráfico
Road sign
Róud sáin

Obras
Roadworks
Róud-uórks

Calle cortada
No through road
Nóu zrúu róud

Retención
Traffic delay
Tráfic diléi

Modere su velocidad
Slow down
Slóu dáun

Prohibido adelantar
No overtaking
Nóu óva-téiking

Prohibido detenerse
No stopping
Nóu stóping

Ceda el paso
Give way
Guiv uéi

Carril bus
Bus lane
Bas léin

Aparcamiento
Parking
Párking

Semáforo
Traffic-lights
Tráfic-láits

Control de alcoholemia
Breath alcohol test
Bríiz álcojol test

Velocidad controlada por radar
Speed cameras
Spíid cámras

Conduzca por la izquierda
Keep left
Kíip left

Para ir a ..., por favor
The road to ..., please
De róud tu ..., plíis

¿Es ésta la carretera para ...?
Is this the way to ...?
Is dis de uéi tu ...?

¿A qué distancia está ...?
How far is ...?
Jáu far is ...?

No está lejos. Hay unas ... millas
It's not far. There are some ... miles
Its not far. Déa ar sam ... máils

¿Es buena la carretera?
Is the road good?
Is de róud gud?

Hay muchas curvas
There are many bends
Déa ar méni bends

¿Dónde puedo comprar un mapa de carreteras?
Where can I buy a road map?
Uéa cánai bái a róud map?

¿Cuál es la mejor carretera para ir a la costa?
Which is the best road to get to the coast?
Uích is de best róud to guet tu de cóust?

Disculpe, ¿cuál es la salida para …?
Excuse me, is this the turn off for …?
Exkiús-mi, is dis de tarn of for …?

¿Puedo aparcar aquí?
Can I park here?
Cánai park jía?

No hay aparcamiento
There is no parking place
Déa is nou párking pléis

Alquiler de autos

Quisiera alquilar un coche
I'd like to hire a car
Áid láik tu jáia a car

¿Qué tipo de coche desea, manual o automático?
What type of car do you want, manual or automatic?
Uót táip ov car du iú uónt, mániual or ootomátic?

¿Cuál es el precio por km/por día?
What is the cost per milo/per day? (1 mile = 1,6 km)
Uóts de cost per máil/per uel?

… libras al día sin límite de kilometraje, más IVA
… pounds/dollars a day with unlimited mileage, plus VAT
… páunds/dálers a déi uíd anlímitid máilich, plas víi-éi-tíi

Seguro incluido
Insurance included
Inshúerens inclúudid

¿Para cuántos días?
For how many days?
For jau méni déis?

¿Tiene el coche cierre centralizado/aire acondicionado/ reproductor de CDs?
Has this car got central locking/air conditioning/a CD player?
Jas dis car got séntral láaking/er condíshening/a si-dí pléia?

¿Es diésel o gasolina?
Does it take petrol or diesel?
Dásit téik pétrol or díisel?

¿Tengo que dejar un depósito?
Must I leave a deposit?
Mast ái líiv a dipósit?

¿Puedo pagar con tarjeta?
Can I pay with a credit card?
Cánai péi uíd a crédit card?

¿Puedo ver su carné de conducir?
Could I see your driving licence?
Cud ái síi yor dráiving láisens?

Tiene que devolverlo con el depósito lleno
You have to bring it back with a full tank
Iú jav tu bring it back uíd a ful tank

¿Cómo se abre el capó/el maletero/el depósito de combustible?
How do you open the bonnet/the boot/the petrol tank?
Jáu du iú óupen de báanet/de búut/de pétrol tank?

EN UNA GASOLINERA

Gasolinera	Petrol station	*Pétrol stéishen*
Gasolina	Petrol	*Pétrol*
Diésel	Diesel	*Díisel*
Aire	Air	*Er*
Aceite	Oil	*Óil*

Agua	Water	*Uóta*
Depósito	Tank	*Tank*
Túnel de lavado	Car wash	*Car uósh*
Anticongelante	Antifreeze	*Antifríis*
Líquido de frenos	Brake fluid	*Bréik flúuid*

¿A qué distancia está la próxima área de servicio?
How far is it to the next services?
Jáu far is tu de next sérvisis?

¿Hay una gasolinera cerca de aquí?
Is there a petrol station near here?
Is déa a petrol stéishen nía jía?

Lleno, por favor
Fill the tank, please
Fíl de tank, plíis

Cinco galones de gasolina, por favor
Put in five gallons of petrol, please
Put in fáiv gálons ov pétrol, plíis

¿Cuánto es?	**Son ... libras/dólares**
How much is it?	It's ... pounds/dollars
Jau mach isít?	*Its ... páunds/dálers*

¿Puedo mirar la presión de mis neumáticos aquí?
Can I check my tyre pressure here?
Cánai check mai táia présha jía?

Deme una botella de aceite, por favor
Please, give me a bottle of oil
Plíis, guívmi a bátel ov óil

¿Cuánto tardarán en lavarlo?
How long will it take to wash it?
Jau long uíl it téik tu uóshit?

¿Dónde están los servicios, por favor?
Where are the toilets, please?
Uéa ar de tóilets, plíis?

EN UN TALLER

Taller	Repair shop	*Ripér shop*
Mecánico	Mechanic	*Mekénic*
Avería	Breakdown	*Brélk-dáun*
PInchazo	Puncture	*Pánkcha*
Matrícula	Number-plate	*Námba-pléit*
Retrovisor	Wing mirror	*Uíng míror*
Carrocería	Bodywork	*Báadi-uórk*
Tubo de escape	Exhaust-pipe	*Exóst páip*
Faro	Headlight	*Jed-láit*
Intermitente	Indicator	*Índikéiter*
Piloto	Rear-light	*Ría-láit*
Capó	Bonnet	*Báanet*
Maletero	Boot	*Búut*
Puerta	Door	*Dóor*
Parabrisas	Windscreen	*Uíndscrin*
Ventanilla	Window	*Uíndou*
Parachoques	Bumper	*Bámpa*
Rueda	Wheel	*Uíil*
Neumático	Tyre	*Táia*

Rueda de repuesto	Spare wheel	*Spéa uíil*
Amortiguador	Shock absorber	*Shok absórba*
Motor	Engine	*Ényin*
Estárter	Starter motor	*Stárta móutor*
Carburador	Carburettor	*Cárbiureter*
Alternador	Alternator	*Alternéiter*
Guardabarros	Mudguard	*Mad-gárd*
Bobina	Coil	*Cóil*
Batería	Battery	*Bátri*
Bujía	Spark plug	*Spark plag*
Fusible	Fuse	*Fiús*
Pistón	Piston	*Píston*
Biela	Connecting rod	*Conécting rod*
Cigüeñal	Crankshaft	*Cránkshaft*
Culata	Cylinder head	*Sílinda jed*
Junta de culata	Cylinder head joint	*Sílinda jed yoint*
Cárter	Crankcase	*Kránk-kéis*
Correa del ventilador	Fan belt	*Fan belt*
Radiador	Radiator	*Réidieiter*
Filtro de aire/aceite	Air/oil filter	*Er/óil filta*
Caja de cambio	Gearbox	*Guía-báaks*
Embrague	Clutch	*Clach*
Volante	Steering-wheel	*Stíiring uíil*
Llave de contacto	Ignition key	*Igníshen kíi*
Palanca de cambio	Gear lever	*Guía léva*
Pedal de freno	Footbrake	*Fúut-bréik*
Freno de mano	Handbrake	*Jánd-bréik*
Acelerador	Accelerator pedal	*Akseleréiter pédel*
Gato	Jack	*Yak*
Herramientas	Set of tools	*Set ov túuls*
Piezas de repuesto	Spare parts	*Spéa parts*
Marcha atrás	Reverse	*Rivérs*

Primera, segunda, tercera (marcha)
First, second, third gear
Ferst, sécond, zerd guía

¿Dónde hay un taller?
Where is a repair shop?
Uéa is a ripér shop?

Mi coche se ha averiado a ... millas de aquí
My car has broken down ... miles from here
Mai car jas bróuken dáun ... máils from jía

¿Pueden remolcar mi coche?
Can you tow my car?
Can iú tóu mai car?

¿Qué le pasa?
What is the matter?
Uóts de máta?

Se oye un ruido extraño
There is a strange noise
Déa is a stréinch nóis

Algo va mal con la dirección asistida/los frenos
There is something wrong with the steering/the brakes
Déa is sámzing rong uíd de stíaring/de bréiks

He tenido un pinchazo
I've got a puncture
Aiv got a pánkcha

Se ha desinflado una rueda
I've got a flat tyre
Aiv got a flat táia

El coche está perdiendo aceite
The car is losing oil
De car is lúusing óil

La batería está descargada
The battery is flat
De bátri is flat

El motor no arranca
The engine won't start
Di ényin uónt start

El radiador pierde líquido
The radiator leaks
De réidieiter liiks

Revise los frenos
Check the brakes
Chek de breaks

No funciona el embrague
The clutch does not work
De clach dásent uórk

Se han fundido los fusibles
The fuses are burned
De fiúsis ar bernd

La correa del ventilador está rota
The fan belt is broken
De fan belt is bróuken

¿Pueden hacer un arreglo provisional?
Can you repair it temporarily?
Can iú ripér it temperérili?

¿Cuánto tardarán en arreglarlo?
How long will it take to repair it?
Jau long uílit téik tu ripér it?

Por favor, repárelo lo antes posible
Please, repair it as soon as possible
Plíis, ripér it as súun as pósibel

Tenemos que pedir repuestos
We have to send for spare parts
Uí jav tu send for spéa parts

Ya está arreglado
It's already repaired
Its ólredi ripérd

¿Me puede hacer una factura?
I need a receipt
Ái níid a risíit

ACCIDENTES

Choque	Crash	*Crash*
Herido	Injured	*Índyed*
Muerto	Dead	*Ded*
Grúa	Tow truck	*Tóu track*

Puesto de socorro
Help point
Jelp póint

Parte de accidente
Accident report
Áksident ripórt

Seguro a todo riesgo
Comprehensive policy
Cáamprijensiv pálisi

Seguro a terceros
Third party policy
Zerd páarti pálisi

Chaleco reflectante
Reflective jacket
Rifléctiv yáket

Triángulo de señalización
Warning triangle
Uórning traiénguel

¿Puede Vd. ayudarme?
Can you help me?
Can iú jélpmi?

Ha habido un accidente a ... millas de aquí
There has been an accident ... miles from here
Déa jas bíin an áksident ... máils from jía

¿Dónde está el hospital más próximo?
Where is the nearest hospital?
Uéa is de níarest jóspital?

¿Pueden llamar una ambulancia?
Can you call an ambulance?
Can iú col an ámbiulans?

¿Hay algún herido?
Is there someone injured?
Is déa sám-uán índyed?

Aquí está mi póliza de seguros (los papeles del coche)
Here is my insurance cover (the car documents)
Jía is mai inshúerens cáva (de car dókiuments)

¿Podría ver su carné de conducir?
Could I see your driving licence?
Cud ái síi yor dráiving láisens?

Yo tenía preferencia
I had right of way
Ái jad ráit ov uéi

Fue culpa suya
It was your fault
It uás yor fóolt

¿Sabe usted a qué velocidad iba conduciendo?
Do you know what speed you were doing?
Du iú nóu uót spíid iú uér dúing?

¿Podría soplar en este tubo, por favor?
Could you blow into this tube, please?
Cud iú blóu íntu dis tiúub, plíis?

Su tasa de alcohol es superior a la permitida
Your alcohol level is over the limit
Yor álcojol lével is óva de límit

Acompáñeme a la comisaría
Come with me to the police station
Cam uíd mi tu de políis stéishen

EN BARCO

Puerto	Port	Port
Muelle	Quay/dock	*Kii/dok*
Barco	Ship/boat	*Ship/bóut*
Yate	Yacht	*Yot*
Transbordador	Ferry	*Féri*

Transatlántico	Cruise ship	*Crúus ship*
Cubierta	Deck	*Dek*
Hamaca	Deck-chair	*Dek-chéa*
Camarote	Cabin	*Québin*
Bodega	Hold	*Jóuld*
Capitán	Captain	*Cápten*
Camarero	Steward	*Stíuard*
Marinero	Sailor	*Séilor*

Compañía marítima
Shipping company
Shíping cámpeni

Chaleco salvavidas
Lifejacket
Láif-yáket

Atracar
To come alongside
Tu cam elongsáid

Hacer escala
To call (at a port)
Tu col (at a port)

¿Por dónde se va al puerto?
Which way is it to the port?
Uích uéi isít tu de port?

¿A qué hora sale el próximo barco a ...?
What time is the next boat to ...?
Uót táim is de next bóut tu ...?

Quisiera un camarote de dos camas/un pasaje de cubierta
I'd like a two-berth cabin/a deck passenger ticket
Áid láik a túu-berz québin/a dek pásenya tíket

Por favor, un billete para un coche y dos pasajeros
I'd like a ticket for a car and two passengers
Áid láik a tíket for a car and túu pásenyas

¿Con qué antelación tengo que llegar antes de la salida?
How soon before the departure time do I have to arrive?
Jáu súun bifór de dipárcha táim du ái jav tu aráiv?

¿Cuánto dura la travesía?
How long is the crossing?
Jau long is de crósing?

¿De qué muelle sale el barco?
Which quay does the ship sail?
Uích kíi das de ship séil?

Disculpe, ¿dónde está el camarote n° ...?
Where is cabin number ...?
Uéa is québin námba ...?

Estoy mareado. ¿Tiene Vd. algo contra el mareo?
I feel seasick. Have you got anything for seasickness?
A fíil sísik. Jáviu got énizing for sísiknes?

Llegaremos al puerto dentro de aproximadamente 10 minutos
We will be arriving in port in approximately 10 minutes' time
Ui ull bíi aráiving in port in aproximétli ten miníts táim

MEDIOS DE TRANSPORTE URBANO

Autobús	Bus	*Bas*
Metro	Underground	*Ándergraund*
Taxi	Taxi	*Téksi*
Tranvía	Tram	*Tram*
Billete	Ticket	*Tíket*
Bono	Season ticket	*Síisen tíket*
Entrada	Way in/Entrance	*Uéi-in/Éntrans*
Salida	Way out/Exit	*Uói áut/Éksit*

EN AUTOBÚS

En la estación de autobuses ....

Quiero ir a ...
I want to go to ...
Ái uónt tu góu tu ...

Dos billetes, por favor
Two tickets, please
Túu tíkets, plíis

¿Cada cuánto tiempo salen los autobuses para ...?
How often do the buses run to ...?
Jau ófen du de basis ran tu ...?

¿Cuánto cuesta un billete de ida?
How much does a single ticket cost?
Jau mach dás a sínguel tíket cost?

¿Puedo comprar el billete en el autobús?
Can I buy a ticket on the bus?
Cánai bái a tíket on de bas?

¿Dónde tengo que bajarme para ir a ...?
Where must I get off for ...?
Uéa mast ái guetóf for ...?

¿Podría poner esto en el maletero, por favor?
Could I put this in the boot, please?
Cud ái put dis in de búut, plíis?

¿Está ocupado/libre este asiento?
Is this seat taken/vacant?
Is dis síit téiken/véicant?

Billetes, por favor
Could I see your ticket, please?
Cud ái síi yor tíket, plíis?

No encuentro mi billete
I've lost my ticket
Aiv lost mai tíket

Autobuses urbanos ....

Parada de autobús
Bus stop
Bástop

Parada solicitada
Request stop
Ricuést stop

Timbre
Bell
Bel

Importe exacto
Exact fare
Ixáct féa

¿Sabe si el autobús nº ... pasa por ...?
Do you know if the number ... bus goes past ...?
Du iú nóu if de námba... bas góus past ...?

¿Qué autobús va directo a ...?
Which bus goes direct to ...?
Uích bas góus dairéct tu ...?

¿Qué parada es esta?
What's this stop?
Uóts dis stop?

Esta es mi parada. Me bajo aquí
This is my stop. I'm getting off here
Dis is mai stop. Áim guéting of jía

¿Cuál es la próxima parada?
What's the next stop?
Uóts de next stop?

METRO

Andén/Vía	Platform	*Platform*
Línea	Line	*Láin*
Zona	Zone	*Sóun*
Ascensor	Lift	*Lift*

Estación de metro
Underground/tube station
Ándergraund/tiúub stéishen

Boca de metro
Entrance
Éntrans

Escaleras mecánicas
Escalator
Ésqueleiter

Transbordo
Change lines
Chéinch láins

Plano del metro
Underground map
Ándergraund map

Bono mensual
One-month travelcard
Uán-manz trável-card

¿Podría decirme dónde está la estación de metro más próxima?
Could you tell me where the nearest tube station is?
Cud iú télmi uéa de níarest tiúub stéishen is?

¿Qué línea debo tomar para ir a ...?
Which line do I need for ...?
Uích láin du ái níid for...?

¿Esta es la dirección para ...?
Is this the right direction to go to ...?
Is dis de ráit dairékshen tu góu tu ...?

Tengan cuidado al salir para no introducir el pie entre coche y andén
Mind the gap
Máind de gap

TAXI

Parada de taxi	Taxi rank	*Téksi rank*
Libre	For hire	*For jáia*
Taxímetro	Taximeter	*Téksi-méta*
Tarifa	Fare	*Féa*
Recibo/factura	Receipt	*Risíit*

¿Dónde puedo encontrar un taxi?
Where can I get a taxi?
Uéa cánai guet a téksi?

¿Adónde quiere ir?
Where would you like to go?
Uéa wud iú láik tu góu?

A la calle ..., por favor
Can you take me to ... street?
Can iú téikmi tu ... stríit?

¿Sabe Vd. dónde está ...?
Do you know where ... is?
Du iú nóu uéa ... is?

¿Cuánto me costará más o menos?
How much will it cost, more or less?
Jau mach uílit cost, móor or les?

¿Le importa si abro/cierro la ventanilla?
Do you mind if I open/I close the window?
Du iú máind if ái óupen/ái clóus de uíndou?

Pare aquí, por favor
Stop here, please
Stop jía, plíis

¿Puede esperarme un momento?
Could you wait for me here?
Cud iú uéit formí jía?

Ya hemos llegado
Here you are
Jía iú ar

¿Cuánto es?/¿Qué le debo?
How much is it?/How much do I owe you?
Jau mach isít?/Jau mach duái óu iú?

¿Cuál es el suplemento por equipaje?
How much is the luggage supplement?
Jau mach is de láguich sápliment?

¿No tiene un billete más pequeño?
Have you got anything smaller?
Jáviu got énizing smóla?

Está bien, quédese con la vuelta
That's fine, keep the change
Dats fáin, kíip de chéinch

HOTELES

Hotel	Hotel	*Joutél*
Pensión	Guesthouse, boarding house	*Guest-jáus, bórding-jáus*
Albergue	Hostel	*Jóstel*
Alojamiento	Accommodation	*Acomodéishen*
Estancia	Stay	*Stéi*
Recepción	Front desk	*Front desk*
Vestíbulo	Lobby	*Láabi*
Recepcionista	Recepcionista	*Risépshenist*
Gerente	Manager	*Mánaya*
Botones	Bellboy	*Bélboi*
Camarera	Chambermaid	*Chéimba-meid*
Huésped	Guest	*Guest*
Llave	Key	*Kíi*
Llave magnética	Key card	*Kíi card*
Caja fuerte	Safe	*Séif*
Propina	Tip	*Tip*
Ascensor	Lift	*Lift*
Planta	Floor	*Flóor*

Planta baja
Ground flour
Gráund flóor

Comedor
Dining room
Dáining-rúum

Cuarto de baño	**Cama supletoria**
Bathroom	Extra bed
Báaz-rúum	*Extra bed*

Temporada baja/alta
Low/high season
Lóu/jái síisen

Habitación individual/doble/con dos camas
Single/double/twin-bedded room
Sínguel/dábel/tuín-bédid rúum

Desayuno/media pensión/pensión completa
Breakfast/half board/full board
Brékfast/jaf bord/ful bord

RESERVAR

¿Tienen habitaciones libres?
Have you got any rooms?
Jáviu got éni rums?

Lo siento, está completo
I'm sorry, we are full
Áim sóri, uí ar ful

No nos queda ninguna habitación doble/individual
We don't have any double/single room left
Uí dont jav éni dábel/sínguel rúum left

Desearía una habitación con ...
I'd like a room with ...
Áid láik a rúum uíd ...

baño incluido	**vistas al mar**
an en-suite bathroom	a sea view
an an-suíit báaz-rúum	*a síi viúu*

¿Incluido el desayuno?
Is breakfast included?
Is brékfast inclúudid?

¿Cuál es el precio por noche?
What's the price per night?
Uóts de práis per náit?

Son ... libras/dólares, VAT (= IVA) incluido
It's ... pounds/dollars, including VAT
Its ... páunds/dálers, inclúuding víi-éi-tíi

¿Tiene aire acondicionado/televisión?
Does the room have air conditioning/television?
Das de rúum jav er condíshening/télivishen?

¿Hay piscina/gimnasio/sauna?
Is there a swimming pool/gym/sauna?
Is déa a suíming púul/yim/sóona?

LA LLEGADA

Tengo reservada una habitación a nombre de ...
I've booked a room for ...
Aiv búkt a rúum for ...

Su habitación es la número ... en la tercera planta, al fondo del pasillo
Your room is number ... on the third floor, at the end of the corridor
Yor rúum is námba ... on de zerd flóor, at di end ov de córidor

¿Puedo ver la habitación?
May I see the room?
Méi ái síi de rúum?

Está bien. Me quedo con ella
It's all right. I'll take it
Its ol-ráit. Áil téikit

Es demasiado pequeña. ¿No tienen otra más amplia?
It's too small. Have you got another room bigger?
Its túu smol. Jáviu got anóda rúum bíga?

¿Cuánto tiempo piensa quedarse?
How long will you be staying?
Jau long uíliu bíi stéiing?

Unos cinco días
About five days
Abáut fáiv déis

¿Me permite su pasaporte?
Can I see your passport, please?
Cánai síi yor pásport, plíis?

Firme aquí, por favor
Sign here, please
Sáin jía, plíis

Súbanme el equipaje, por favor
Send up my luggage, please
Send ap mai láguich, plíis

¿A qué hora se sirve el desayuno?
At what time is breakfast served?
At uót táim is brékfast servd?

Haga el favor de despertarme a las siete
Please wake me at seven
Plíis uéikmi at séven

Queja	Claim	*Cléim*
Cama	Bed	*Bed*
Colchón	Mattress	*Mátres*
Almohada	Pillow	*Pílou*
Sábanas	Sheets	*Shíits*
Manta	Blanket	*Blánkit*
Edredón	Duvet	*Dúuvei*
Grifo	Tap	*Tap*
Enchufe	Plug	*Plag*
Interruptor	Switch	*Suích*
Bombilla	Light bulb	*Láit balb*
Calefacción	Heating	*Jíiting*
Aire acondicionado	Air conditioning	*Er condíshening*
Cenicero	Ashtray	*Áshtrey*
Lavabo	Wash basin	*Uósh béisn*
Ducha	Shower	*Sháua*
Toalla	Towel	*Táuel*
Jabón	Soap	*Sóup*
Vaso	Glass	*Glas*

Toalla de baño	**Artículos de tocador**
Bath towel	Toiletries
Báaz táuel	*Tóiletris*

Cepillo de dientes
Toothbrush
Túuz-brash

Pasta de dientes
Toothpaste
Túuz-péist

Secador
Hairdryer
Jer-dráia

Papel higiénico
Toilet paper
Tóilet péipa

No molestar
Do not disturb
Du not distérb

Para lavar
For the laundry
For de lóondri

Por favor, mi llave, número ...
My key, please, number ...
Mai kíi, plíis, námba ...

Súbanme el desayuno a la habitación
Serve my breakfast in my room
Serv mai bréfkast in mai rúum

Por favor, pláncheme estos pantalones
Please, iron these trousers
Plíis, áiron díis tráusas

¿Tienen un plano de la ciudad?
Have you got a street map?
Jáviu got a stríit map?

No puedo abrir la puerta
I can't open the door
Ái cant óupen de dóor

La calefacción no funciona
The heating does not work
De jíiting dásent uórk

No hay agua caliente
There is no hot water
Déa is nou jot uóta

Necesitaría una manta más
Do you have another blanket, please?
Du iú jav anóda blánkit, plíis?

Quiero un guía que hable español
I want a guide who speaks Spanish
Ái uónt a gáid júu spíiks spánish

Quiero alquilar un coche
I want to hire a car
Ái uónt tu jáia a car

EL DESAYUNO

Café	Coffee	*Cófi*
Té	Tea	*Tíi*
Leche	Milk	*Milk*
Chocolate	Chocolate	*Chóclit*

Descafeinado	**Leche desnatada**
Decaffeinated coffee	Skim milk
Dikáfeineltid cófi	*Skim milk*

Pan	Bread	*Bred*
Pan integral	Whole-grain bread	*Jóul-gréin bred*
Mantequilla	Butter	*Báta*

Yogur	Yoghurt	*Yáguet*
Huevo	Egg	*Eg*
Salchicha	Sausage	*Sósich*
Tostada	Toast	*Tóust*
Miel	Honey	*Jáni*
Mermelada	Jam	*Yam*

Mermelada de naranja
Marmalade
Mármeleid

Zumo de naranja
Orange juice
Órinch yúus

Cereales
Corn flakes
Corn fléiks

Huevos fritos con bacon
Bacon and eggs
Béikon and egs

Arenque ahumado
Kipper
Kípa

Papilla de avena
Porridge
Pórich

¿Podría tomar algo a esta hora?
May I have something to eat now?
Méi ái jav sámzing tu íit náu?

El comedor está cerrado
The dining room is closed
De dáining-rúum is clóust

Cárguelo en mi cuenta. Habitación nº ...
Put it on my bill. Room number ...
Pútit on mai bil. Rúum námba ...

Nos vamos mañana por la mañana
We are leaving tomorrow morning
Uí ar líiving tumórou mooning

¿Puede prepararme la cuenta, por favor?
Could you prepare my bill?
Cud iú pripér mai bil?

¿Ha utilizado el minibar?
Have you used the minibar?
Jáviu iúst de minibar?

Creo que se ha equivocado. Repásela, por favor
I think there is a mistake. Please check it
Ái zink déa is a mistéik. Plíis chékit

Voy a pagar en efectivo/con tarjeta de crédito/con un cheque
I'll pay in cash/by credit card/by cheque
Áil péi in cash/bai crédlt card/bai check

¿Puedo dejar mi equipaje aquí hasta mediodía?
Could I leave my luggage here until midday?
Cud ái líiv mai láguich jía ontíl míd-déi?

¿Podría llamar a un taxi, por favor?
Could you please call me a taxi?
Cud iú plíis cólmi a téksi?

¡Buen viaje!
Have a good journey!
Jav a gud yérni!

¡Muchas gracias por todo!
Thank you for everything!
Zénkiu for évrizing!

COMER Y BEBER

Bar	Bar	*Bar*
Restaurante	Restaurant	*Réstorant*
Autoservicio	Self-service	*Self-sérvis*
Tapas	Bar snacks	*Bar snacks*

Comida rápida
Fast food
Fast fúud

Comida para llevar
Takeaway
Téik-euéi

Menú del día
Set menu
Set méniu

A la carta
À la carte
A la cart

Aperitivo
Aperitif
Aperítiif

Entrada
Starter
Stáarta

Plato principal
Main course
Méin cóors

Almuerzo
Lunch
Lanch

Cena
Dinner
Dína

Postre
Dessert
Désert

Mesa	Table	*Téibel*
Silla	Chair	*Chéa*
Mantel	Tablecloth	*Téibel-cloz*
Servilleta	Napkin	*Népkin*
Plato	Dish	*Dish*
Cuchara	Spoon	*Spúun*
Tenedor	Fork	*Fóok*
Cuchillo	Knife	*Náif*
Cucharilla	Teaspoon	*Tíi-spúun*
Vaso	Glass	*Glas*
Copa	(Wine) glass	*(Uáin) glas*
Taza	Cup	*Cap*
Camarero	Waiter	*Uéita*
Maitre	Head waiter	*Jed uéita*
Propina	Tip	*Tip*
Servicio incluido	Tip included	*Tip inclúudid*

¿Puede recomendarme un restaurante típico?
Can you suggest a restaurant for local cuisine?
Can iú seyést a réstorant for lóucal cuisíin?

¿Hay un bar cerca de aquí?
Is there a bar near here?
Is déa a bar nía jía?

Quisiera reservar una mesa para ... personas para las ...
I'd like to book a table for ... people for ...
Áid láik tu buk a téibel for ... pípel for ...

Una mesa para dos, por favor
A table for two, please
A téibel for túu, plíis

¿Dónde podemos sentarnos?
Where can we sit?
Uéa can uí sit?

¿Está reservada esta mesa?
Is this table reserved?
Is dis téibel risérvd?

¿Podemos tener ...
Can we have ...
Can uí jav ...

> **una mesa cerca de la ventana?**
> a table near the window?
> *a téibel nía de uíndou?*

> **una mesa tranquila?**
> a quiet table?
> *a cuáiet téibel?*

> **una mesa lejos de la puerta?**
> a table away from the door?
> *a téibel euéi from de dóor?*

Tienen que esperar en la barra
You will have to wait in the bar
Iú uil jav tu uéit in de bar

Estoy esperando a unos amigos
I'm waiting for some friends
Áim uéiting for sam frends

¿Qué les sirvo?
What would you like?
Uót wud iú láik?

¿Puede traerme la carta?
Can you bring me the menu?
Can iú bríngmi de méniu?

No hemos elegido todavía
We haven't decided yet
Uí jávent disáidid yet?

¿Puede traernos un aperitivo?
Can you bring me an aperitif?
Can iú bríngmi an aperítiif?

¿Qué tipo de ... tienen?
What kind of ... have you got?
Uót káind ov ... jáviu got?

¿Tienen una carta de vinos?
Have you got a wine list?
Jáviu got a uáin list?

¿Tienen platos calientes?
Have you got any hot dishes?
Jáviu got éni jot díshis?

¿Qué vino me recomienda?
Which wine do you recommend?
Uích uáin du iú recoménd?

¿Puede recomendarme algo especial?
Could you suggest something special?
Cud iú seyést sámzing spéshal?

¿Cuál es la especialidad de la casa?
What is the local speciality?
Uóts de lóucal speshiáliti?

¿Cuáles son los ingredientes de este plato?
What are the ingredients of this dish?
Uót ar di ingriidients ov dis dish?

Tráigame/tráiganos ...
Bring me/us ...
Bring mi/as ...

Quiero un/una ...
I'd like a/an ...
Áid láik a/an ...

De primero, ...
For my starter, ...
For mai stáarta, ...

De segundo, ...
For my main course, ...
For mai méin cóors, ...

Lo mismo para mí
The same for me
De séim for mi

¿Para beber?
What would you like to drink?
Uót wud iú láik tu drink?

No hemos pedido esto
We did not asked for this
Uí did not askt for dis

Está bien, gracias	Enough, thanks	*Enáf, zanks*
Más, por favor	More, please	*Móor, plíis*
¡Buen provecho!	Enjoy your meal!	*Inyói yor míil!*

¿Puede traerme ...
Could I have ...
Cud ái jav ...

    otra botella de vino
    another bottle of wine
    anóda hátel ov uáin

    sal y pimienta
    salt and pepper
    solt and pépa

Esta sopa está fría. ¿Pueden calentármela?
This soup is cold. Could you heat it for me?
Dis súup is cóuld. Cud iú jíitit for mi?

Esta carne está poco hecha. ¿Pueden pasarla un poco más?
This meat is underdone. Could you cook it a little more?
Dis míit is ánder-dan. Cud iú cúkit a lítel móor?

¿Qué tienen de postre?
What is there for dessert?
Uóts déa for désert?

¿Tomarán café?
Will you have a coffee?
Uíliu jav a cófi?

¿Han terminado?
Have you finished?
Jáviu fínisht?

Por favor, ¿me da fuego?
Have you got a lighter, please?
Jáviu got a láita, plíis?

La cuenta, por favor
The bill, please
De bil, plíis

¿Puedo pagar con tarjeta?
Do you accept credit cards?
Du iú aksépt crédit cards?

Necesito la factura
I need the receipt
Ái níid de risíit

Quédese con la vuelta
Keep the change
Kíip de chéinch

¿Dónde están los servicios?
Where is the toilet?
Uéa is de tóilet?

Términos culinarios

Frito	Fried	*Fráid*
Hervido	Boiled	*Bóild*
Asado	Roast(ed)	*Róust(id)*
A la plancha	Grilled	*Grild*
Tostado	Toasted	*Tóustid*
Al horno	Baked	*Béikt*
Relleno	Filled	*Fild*
Picante	Hot/spicy	*Jot/spáisi*
Crudo	Raw	*Róo*
Agrio	Sour	*Sáua*

Ahumado	Smoked	*Smóukt*
Salado	Salty	*Sólti*
Soso	Unsalted	*Onsóltid*
Amargo	Bitter	*Bíta*
Dulce	Sweet	*Suíit*
Agridulce	Sweet and sour	*Suíit and sáua*
Poco hecho	Rare (underdone)	*Réa (ánder-dan)*
En su punto	Medium	*Mídiem*
Muy hecho	Well done	*Uél dan*

CONDIMENTOS

Sal	Salt	*Solt*
Pimienta	Pepper	*Pépa*
Especia	Spice	*Spáis*
Aceite	Oil	*Óil*
Vinagre	Vinegar	*Vínegar*
Salsa	Sauce	*Sóos*
Mostaza	Mustard	*Mástard*
Mayonesa	Mayonnaise	*Meionéis*
Pimentón	Paprika	*Páprika*

COMIDAS Y BEBIDAS

ENTREMESES

Mantequilla	Butter	*Báta*
Pan	Bread	*Bred*
Aceitunas	Olives	*Ólivs*
Queso	Cheese	*Chíis*
Jamón	Ham	*Jam*
Embutidos	Cold meats/sausages	*Cóuld míits/sósichs*

Huevos

Frito	Fried	*Fráid*
Pasado por agua	Soft-boiled	*Soft-bóild*
Duro	Hard-boiled	*Jard-bóild*
Revuelto	Scrambled	*Scrámbeld*
Tortilla	Omelet	*Om'let*

Carne

Ternera	Veal	*Víil*
Cerdo	Pork	*Pork*
Cordero	Lamb	*Lamb*
Buey	Beef	*Biif*
Pollo	Chicken	*Chíken*
Pato	Duck	*Dak*
Pavo	Turkey	*Térki*
Conejo	Rabbit	*Rébit*
Hígado	Liver	*Líva*
Riñones	Kidneys	*Kídnis*
Lomo	Loin	*Lóin*
Carne picada	Mince	*Mins*
Chuleta	Chop	*Chop*
Costilla	Rib	*Rib*
Filete	Steak	*Stéik*
Solomillo	Sirloin	*Sérloin*
Rosbif	Roast beef	*Róust bíif*

Pescado y marisco

Sardina	Sardine	*Sárdin*
Anchoa	Anchovy	*Ánchovi*
Atún	Tuna	*Túna*

Lenguado	Sole	*Sóul*
Merluza	Hake	*Jéik*
Bacalao	Cod	*Cod*
Salmón	Salmon	*Sáamon*
Salmonete	Red mullet	*Red málet*
Caballa	Mackerel	*Mácrel*
Anguila	Eel	*Iíl*
Arenque	Herring	*Jéring*
Trucha	Trout	*Tráut*
Gamba	Shrimp	*Shrimp*
Langostino	Prawn	*Pron*
Langosta	Lobster	*Lóbsta*
Mejillón	Mussel	*Másel*
Ostra	Oyster	*Óista*
Cangrejo	Crab	*Crab*

VERDURAS

Lechuga	Lettuce	*Létis*
Tomate	Tomato	*Toméitou*
Patata	Potato	*Potéitou*
Pepino	Cucumber	*Kiucámba*
Cebolla	Onion	*Ónion*
Ajo	Garlic	*Gárlic*
Perejil	Parsley	*Páasli*
Pimiento	(Green, red) pepper	*(Gríin, red) pépa*
Zanahoria	Carrot	*Cárot*
Espinaca	Spinach	*Spínich*
Espárrago	Asparagus	*Aspáragas*
Berenjena	Aubergine	*Óubeyiin*
Seta	Mushroom	*Mashrum*
Alcachofa	Artichoke	*Ártichouk*
Col	Cabbage	*Cábich*
Coliflor	Cauliflower	*Cóliflaua*

Judías verdes	Green beans	*Gríin bíins*
Apio	Celery	*Séleri*
Puerro	Leek	*Líik*
Guisantes	Peas	*Píis*
Maíz	Sweet corn	*Suíit corn*
Remolacha	Beetroot	*Bíi-truut*
Calabaza	Pumpkin	*Pámpkin*
Nabo	Turnip	*Térnip*

FRUTAS

Naranja	Orange	*Órinch*
Limón	Lemon	*Lémon*
Pomelo	Grapefruit	*Gréipfruut*
Mandarina	Tangerine	*Tendyeríin*
Manzana	Apple	*Ápel*
Pera	Pear	*Péa*
Melocotón	Peach	*Píich*
Ciruela	Plum	*Plam*
Albaricoque	Apricot	*Éipricot*
Cereza	Cherry	*Chéri*
Fresa	Strawberry	*Stróberi*
Frambuesa	Raspberry	*Ráspberi*
Higo	Fig	*Fig*
Uva	Grape	*Gréip*
Plátano	Banana	*Banána*
Melón	Melon	*Mélon*
Sandía	Watermelon	*Uóta-mélon*
Piña	Pineapple	*Painápel*
Coco	Coconut	*Cóuconat*
Almendra	Almond	*Áamond*

BEBIDAS

Un vaso de ...
A glass of ...
A glas ov ...

Una taza de ...
A cup of ...
A cap ov ...

Gaseosa	Lemonade	*Lemonéid*
Refresco	Soft drink	*Soft drink*
Cerveza	Beer	*Bía*
Caña	Draft beer	*Draft bía*
Pinta	Pint	*Páint*

Agua mineral (con/sin gas)
Mineral water (sparkling/still)
Míneral uóta (spárkling/stíl)

Zumo de naranja
Orange juice
Órinch yúus

Cerveza sin alcohol
Alcohol-free beer
Álcojol-frii bía

Vino (blanco/tinto/rosado)
(White/Red/Rosé) wine
(Uáit/red/róusei) uáin

Seco	Dry	*Drái*
Dulce	Sweet	*Suíit*
Jerez	Sherry	*Shéri*
Champán	Champagne	*Shampañ*
Licor	Liqueur	*Likíue*
Ron	Rum	*Ram*
Ginebra	Gin	*Yin*
Coñac	Brandy	*Brándy*
Whisky	Whisky	*Uíski*
Con hielo	On the rocks	*On de ráaks*
Infusión	Herbal tea	*Jérbel tíi*

Café solo
Black coffee
Blak cófi

Café con leche
White coffee
Uáit cófi

Descafeinado
Decaffeinated coffee
Diikéfeinitid cófi

Leche fría/caliente
Cold/hot milk
Cóuld/jot milk

Té con limón/leche
Tea with lemon/milk
Tíi uíd lémon/milk

Chocolate caliente
Hot chocolate
Jot chóclit

PLATOS

Mixed salad (*Mixt sálad*). Ensalada mixta.

Pork/lamb chops (*Pork/lamb chops*). Chuletas de cerdo/cordero.

Vegetable/fish soup (*Védyetebol/fish súup*). Sopa de verduras/pescado.

COMIDAS RÁPIDAS

Fish and chips (*Fish and chips*). Pescado y patatas fritas.

Shepherd's pie (*Shéferds pái*). Pastel de carne picada.

Steak and kidney pie (*Stéik and kídni pái*). Pastel de carne y riñones.

Pickled herrings (*Píkeld jérings*). Arenques en escabeche.

Devils on horseback (*Dévils on jórsbak*). Tostadas de sardinas/anchoas.

Gammon (*Gámon*). Jamón ahumado y bacon.

POSTRES

Pastel	Pie	*Pái*
Tarta	Cake	*Kéik*
Helado	Ice cream	*Ais-críim*
Nata	Cream	*Críim*
Natillas	Custard	*Cástard*
Queso	Cheese	*Chíis*

Macedonia de frutas	Arroz con leche
Fruit salad	Rice pudding
Frúut sálad	*Ráis púding*

Postres típicos ....

Apple pie (*Ápel pái*). Tarta de manzana.

Bread and butter pudding (*Bred and báta púding*). Trozos de pan de molde con uvas pasas empapados en una mezcla de huevo y leche y pasados por el horno.

Crumbles (*Crámbels*): Bizcocho desmenuzado, mezclado con fruta y natillas.

Queen of puddings (*Cuín ov pudding*). Bizcocho cremoso embadurnado de mermelada y cubierto de merengue.

Sticky toffee pudding (*Stíki tófi púding*). Bizcocho empapado en jarabe de toffee.

Trifle (*Tráifel*). Bizcocho empapado en natillas, con frutas, cubierto de nata montada.

DE COMPRAS

Antigüedades	Antique shop	*Antíc shop*
Artesanía	Handicraft	*Jándicraft*
Carnicería	Butcher's	*Búchas*
Centro comercial	Shopping centre	*Shóping sénta*
Charcutería	Delicatessen	*Delicatésn*
Estanco	Tobacconist's	*Tobéconists*
Farmacia	Chemist's	*Kémists*
Ferretería	Ironmonger's	*Áien-mángas*
Floristería	Florist's	*Flórists*
Frutería	Greengrocer's	*Gríin-gróusas*
Grandes almacenes	Department store	*Depártment stóor*
Herboristería	Herbalist shop	*Jérbalist shop*
Joyería	Jeweller's	*Yúuelas*
Lavandería	Laundry	*Lóondri*
Librería	Bookshop	*Búkshop*
Mercado	Market	*Márkit*
Óptica	Optician's	*Optíshens*
Panadería	Baker's	*Béikas*
Papelería	Stationer's	*Stéishenas*
Pastelería	Cake shop	*Kéikshop*
Peluquería	Hairdresser's	*Jerdrésas*
Perfumería	Perfumery	*Pefiúumeri*
Pescadería	Fish shop	*Físhshop*
Quiosco	Newsagent's	*Niúus-éiyents*
Recuerdo	Souvenir	*Suuvenía*
Supermercado	Supermarket	*Súupa-márkit*
Tintorería	Dry cleaning	*Drái clíining*
Todo a cien	Ten-cent store	*Ten-sent stóor*
Zapatería	Shoe shop	*Shúushop*

Tienda de comestibles
Grocer's
Gróusas

Tienda de fotos
Photography equipment store
Fotográfi icuípment stóor

Horario comercial	Opening hours	*Óupening áuas*
Abierto	Open	*Óupen*
Cerrado	Closed	*Clóust*
Entrada	Entrance	*Éntrans*
Salida	Exit	*Éksit*
Tirar	Pull	*Pul*
Empujar	Push	*Push*
Escaleras	Stairs	*Stéas*
Escaleras mecánicas	Escalator	*Ésqueleiter*
Ascensor	Lift	*Lift*
Estantería	Shelf	*Shelf*
Escaparate	Shop window	*Shop uíndou*
Mostrador	Counter	*Cáunta*
Caja	Cash desk	*Cash-desk*
Bolsa	Bag	*Bag*
Pasillo	Aisle	*Áil*

Dependiente/a
Shop assistant
Shop asístant

Salida de emergencia
Fire exit
Fáia éksit

Envío a domicilio
Delivery
Dilíveri

Libro de reclamaciones
Complaint book
Compléint buk

Tarjeta de compra
Store card
Stóor card

No se admiten cheques
Cheques not accepted
Cheks not akséptid

¿En efectivo o con tarjeta?
Will you pay cash or by credit card?
Uíliu péi cash or bái crédit card?

EN UN SUPERMERCADO

Carrito	Trolley	*Tráli*
Cesta	Shopping basket	*Shóping básket*
Oferta	Special offer	*Spéshel ófer*
Botella	Bottle	*Bátel*
Caja (envase)	Box	*Báaks*
Paquete	Packet	*Páket*
Tarro	Pot	*Pot*
Lata	Tin	*Tin*
Trozo	Piece	*Píis*
Loncha/rodaja	Slice	*Sláis*
Caja	Checkout	*Sheck-áut*

Docena/media docena
Dozen/half dozen
Dásen/jaf dásn

Caja rápida 10 artículos
10 items or less
Ten áitems or les

Consumir preferentemente antes de ...
Best before end ...
Best bifór end ...

¿Hay un supermercado por aquí cerca?
Where is the nearest supermarket?
Uéa is de níarest súupa-márkit?

¿Podría decirme dónde está(n) ...?
Could you tell me where the ... is (are)?
Cud iú télmi uéa de ... is (ar)?

    congelados
    frozen food section
    fróusen fúud sékshen

    lácteos
    dairy products
    déri práadacts

    artículos del hogar
    household goods
    jáus-jóuld gúuds

    el pan
    bread counter
    bred cáunta

¿Puede darme otra bolsa, por favor?
Could I have another carrier bag, please?
Cud ái jav anóda quéria bag, plíis?

EN UNA LIBRERÍA/QUIOSCO

Libro	Book	*Buk*
Diccionario	Dictionary	*Díkshenri*
Novela	Novel	*Nóvel*
Postal	Postcard	*Póustcard*
Periódico	Newspaper	*Niúus-péipa*
Revista	Magazine	*Magasíin*
Bolígrafo	Ballpoint pen	*Bolpóint pen*
Pluma	Pen	*Pen*
Lápiz	Pencil	*Pénsil*
Rotulador	Marker pen	*Márka pen*
Sobre	Envelope	*Énveloup*
Guía	Guide	*Gáid*
Mapa	Map	*Map*
Plano	Street map	*Stríit map*

Quería (quisiera) ...
I'd like ...
Áid láik ...

Estoy buscando un libro de/sobre ... ¿Puede ayudarme?
I'm looking for a book by/on ... Can you help me?
Áim lúking for a buk bái/on ... Can iú jélpmi?

Quisiera un libro sobre la historia y el arte de esta ciudad
I'd like a book concerning the history and art of this city
Áid láik a buk consérning de jístori and áart ov dis síti

¿Está traducido al español?
Is it translated into Spanish?
Isít transléitid íntu spánish?

¿Dónde puedo comprar un mapa de carreteras?
Where can I buy a road map?
Uéa cánai bái a róud map?

¿Tiene periódicos/revistas/libros españoles?
Have you got Spanish newspapers/magazines/books?
Jáviu got spánish niúus-péipas/magasíins/buks?

Farmacia de guardia	Duty chemist	*Diúti kémist*
Receta	Prescription	*Prescrípshen*
Analgésico	Painkiller	*Péin-kíla*
Pastilla	Tablet	*Táblet*
Píldora	Pill	*Pil*
Jarabe	Syrup	*Sírep*
Pomada	Cream	*Críim*
Supositorio	Suppository	*Sopósiteri*
Gotas	Drops	*Dráaps*
Laxante	Laxative	*Láxatif*
Calmante	Sedative	*Sédatif*
Inyección	Injection	*Inyékshen*
Venda	Bandage	*Béndich*
Tiritas	Sticking plasters	*Stíking plástas*
Algodón	Cotton wool	*Cóton úul*
Gasa	Gauze	*Góos*
Alcohol	Alcohol	*Álcojol*
Termómetro	Thermometer	*Zemómita*
Preservativos	Condoms	*Cóndems*
Compresas	Sanitary towels	*Sánitari táuels*
Pañales	Napkins	*Népkins*

Pasta de dientes	**Cepillo de dientes**
Toothpaste	Toothbrush
Túuz-peist	*Túuz-brash*

Pañuelos de papel	**Tapones para los oídos**
Paper tissues	Earplugs
Péipa tíshuus	*Ía-plags*

¿Puede darme algo contra ...?
Could you give me anything for ...?
Cud iú guívmi énizing for ...?

fiebre	fever	*fíva*
resfriado	cold	*cóuld*
ros	cough	*cof*
diarrea	diarrhoea	*daiería*
estreñimiento	constipation	*constipéishen*
mareo	sickness	*síknes*
insomnio	insomnia	*insómnia*

dolor de cabeza	**dolor de muelas**
headache	toothache
hedéik	*túuz-éik*

quemadura del sol	**picadura de insecto**
sunburn	insect bite
sánbern	*ínsect báit*

Tómese un comprimido en el desayuno, almuerzo y cena
Take one tablet with breakfast, lunch and dinner
Téik uán táblet uíd brékfast, lanch and dína

No podemos venderle este medicamento sin receta
This medicine is only available on prescription
Dis médsin is óunli avéilebel on prescrípshen

En unos grandes almacenes

Rebajas	Sales	*Séils*
Liquidación	Clearance sale	*Clíarens séil*
Oportunidades	Bargain	*Báarguen*
Probador	Fitting room	*Fíting rúum*

Planta baja
Ground floor
Gráund flóor

Primera, segunda, ... planta
First, second, ... floor
Ferst, sécond, ... floor

Sección de discos/regalos/lencería/juguetes/deportes ...
Record/gift/lingerie/toy/sport ... department
Récord/guift/láanyerei/tói/sport ... department

Ropa de caballero/señora/niños
Mens's/women's/children's clothes
Mens/uímens/chíldrens clózis

Talla pequeña/mediana/grande
Small/medium/large
Smol/mídiem/larch

¿En qué planta está la sección de artículos de piel?
In which floor is the leather goods department?
In uích flóor is de léda guds depártment?

En la planta baja
On the ground floor
On de gráund flor

¿Puede atenderme, por favor?
Excuse me, could you help me?
Exkiús-mi, cud iú jelp mi?

Quisiera ver algunas camisas de rayas
I'd like to see some striped shirts
Áid láik tu síi sam stráipt sherts

La quiero de manga corta/larga
I want it with short/long sleeves
Ái uóntit uíd short/long slíivs

¿De qué es?
What material is it?
Uót matiérial isít?

¿Sólo lo tienen en este color?
Is this the only colour you've got?
Is dis di óunli cála yuv got?

¿Tienen otros modelos?
Have you got any other designs?
Jáviu got éni óda disáins?

¿Cuál es su talla?
What size do you take?
Uót sáis du iú téik?

¿Desea probárselo?
Do you want to try it on?
Du iú uónt tu trái it on?

¿Dónde está el probador?
Where is the fitting room?
Uéa is de fíting rúum?

¿Le queda bien?
Does it fit you?
Dásit fit iú?

El cuello me aprieta un poco
The collar is a little tight
De cóla is a lítel táit

Voy a probarme una talla mayor
I'll try a larger size
Áil trái a láarya sáis

Por favor, enséñeme corbatas de seda natural
Please, show me some natural silk ties
Plíis, shóumi sam náchural silk táis

Me quedo con éste/a
I'll take this one
Áil téik dis uán

Me gusta éste/a
I like this one
Ái láik dis uán

¿Cuánto es todo?
How much is that all together?
Jau mach is dat ol tuguéda?

¿Dónde está la caja?
Where is the cash desk?
Uéa is de cash-desk?

¿En efectivo o con tarjeta?
Will you pay cash or by credit card?
Uíliu péi cash or bái crédit card?

¿Podría envolvérmelo para regalo?
Could you gift-wrap it for me?
Cud iú guift-rap it for mi?

ROPA Y ACCESORIOS

Abrigo	Overcoat	*Óva-cóut*
Impermeable	Raincoat	*Réin-cóut*
Gabardina	Trench coat	*Trench cóut*
Cazadora	Bomber jacket	*Báama yáket*
Pantalones	Trousers	*Tráusas*
Vaqueros	Jeans	*Yíins*
Pantalones cortos	Shorts	*Shorts*
Jersey	Pullover	*Pulóva*
Chaqueta	Jacket	*Yáket*
Camiseta	T-shirt	*Ti-shert*
Chaleco	Waistcoat	*Uéist-cóut*
Camiseta	Vest	*Vest*
Calzoncillos	Underpants	*Ándapants*
Calcetines	Socks	*Soks*
Corbata	Tie	*Tái*

Camisa	Shirt	*Shert*
Blusa	Blouse	*Bláus*
Falda	Skirt	*Skert*
Rebeca	Cardigan	*Cárdigan*
Traje	Suit	*Suut*
Vestido	Dress	*Dres*
Traje de noche	Evening dress	*Ívning dres*
Sujetador	Bra	*Bra*
Medias	Tights	*Táits*
Bragas	Knickers	*Níkas*
Bata	Dressing gown	*Drésing gáun*
Pijama	Pyjamas	*Piyáamas*
Camisón	Night gown	*Náit gáun*
Bañador	Bathing costume	*Béiding cóstiuum*
Chándal	Tracksuit	*Trak-suut*
Sudadera	Sweat shirt	*Suét-shert*
Guantes	Gloves	*Glavs*
Bufanda	Scarf	*Scáaf*
Paraguas	Umbrella	*Ambréla*
Pañuelo	Handkerchief	*Jándkechif*
Cinturón	Belt	*Belt*
Bolso	Handbag	*Jándbag*
Monedero	Purse	*Pers*
Sombrero	Hat	*Jat*
Abanico	Fan	*Fan*
Anillo	Ring	*Ring*
Pendiente	Earring	*Íring*
Pulsera	Bracelet	*Bréislet*

Materiales

Algodón	Cotton	*Cáaten*
Piel	Leather	*Léda*
Lino	Linen	*Línin*
Lana	Wool	*Wúul*

Terciopelo	Velvet	*Vélvit*
Seda	Silk	*Silk*
Viscosa	Viscose	*Víscous*
Nilón	Nylon	*Náilon*
Acrílico	Acrilic fibre	*Acrílic fáiba*

Colores

Blanco	White	*Uáit*
Negro	Black	*Blak*
Rojo	Red	*Red*
Azul	Blue	*Blu*
Amarillo	Yellow	*Yélou*
Marrón	Brown	*Bráun*
Verde	Green	*Gríin*
Gris	Grey	*Gréi*
Beige	Beige	*Béish*
Morado	Purple	*Pérpel*
Naranja	Orange	*Órinch*
Rosa	Pink	*Pink*
Claro	Light	*Láit*
Oscuro	Dark	*Dark*
A rayas	Striped	*Stráipt*
A cuadros	Checked	*Shekt*
Estampado	Pattern	*Pétern*
Liso	Plain	*Pléin*

Zapatos	Shoes	*Shúus*
Botas	Boots	*Búuts*
Botines	Ankle boots	*Énkel búuts*
Sandalias	Sandals	*Sándals*
Chanclas	Flip-flops	*Flip-fláaps*
Mocasines	Moccasins	*Mókesins*
Zapatillas	Slippers	*Slípas*
Zapatillas de deporte	Trainers/Sneakers	*Treínas/sníikas*
Suela	Sole	*Sóul*
Tacón	Heel	*Jíil*
Cordón	Shoelace	*Shúuleis*
Piel	Leather	*Léda*
Ante	Suede	*Suéid*
Goma	Rubber	*Rába*

Deseo un par de zapatos de tacón alto
I want a pair of high-heeled shoes
Ái uónt a péa ov jái-jíild shúus

¿Cómo los quiere?
What style would you like?
Uót stáil wud iú láik?

Con cordones y que sean buenos para la lluvia
With shoelaces and good for the rain
Uíd shúu-léisis and gud for de rein

¿Qué número calza?
What size, please?
Uót sáis, plíis?

Haga el favor de enseñarme los del escaparate
Will you please show me the pair in the window?
Uíliu plíis shóumi de péa in de uíndou?

Me aprietan un poco
They are a little tight
Déi ar a lítel táit

Me quedan demasiado grandes
They are too large
Déi ar túu larch

Pruébese este otro número
Try this size
Trái dis sáis

Estos me están bien
This one fits well
Dis uán fits uél

¿Cuánto valen?
How much are they?
Jau mach ar déi?

EN UNA PERFUMERÍA

Jabón	Soap	*Sóup*
Champú	Shampoo	*Shampú*
Desodorante	Deodorant	*Diódorant*
Gel de baño	Shower gel	*Sháua yel*
Laca	Hair spray	*Jéa spréi*
Peine	Comb	*Cóum*
Cepillo	Hairbrush	*Jéa-brash*
Bastoncillos	Cotton buds	*Cáaten bads*
Maquillaje	Make up	*Méikap*
Colonia	Cologne water	*Colóun uóta*
Esmalte	Nail varnish	*Néil várnish*
Rímel	Mascara	*Mascára*
Perfume	Perfume	*Perfiúum*
Depilatorio	Hair remover	*Jéa rimúuva*

Tijeras	Scissors	*Sísos*
Bronceador	Sun tan cream	*San tan críim*
Barra de labios	Lipstick	*Lípstik*
Pasta de dientes	Toothpaste	*Túuz-peist*
Cepillo de dientes	Toothbrush	*Túuz-brash*
Hilo dental	Dental floss	*Déntal flos*
Loción facial	Face lotion	*Féis lóushen*

Crema limpiadora
Cleansing cream
Clénsing críim

Crema nutritiva
Nourishing cream
Nárishing críim

Maquinilla de afeitar
Razor
Réiza

Espuma de afeitar
Shaving foam
Shéiving fóum

EN UNA TIENDA DE FOTOS

Cámara	Camera	*Cámra*
Cámara digital	Digital camera	*Dídyitel cámra*
Objetivo	Lens	*Lens*
Visor	View-finder	*Viúu-fáinda*
Filtro	Filter	*Fílta*
Diafragma	Diaphragm	*Dáiafrem*
Disparador	Trigger	*Tríga*
Teleobjetivo	Telephoto lens	*Téli-fóutou lens*

Pantalla	Screen	*Scríin*
Color	Colour	*Cála*
Blanco y negro	Black and white	*Blák and uáit*
Diapositiva	Slide	*Sláid*
Tamaño	Size	*Sáis*
Ampliación	Enlargement	*Inláarchment*
Copia	Print	*Print*
Foto	Photo/Picture	*Fóuto/píkcha*
Batería	Battery	*Bátri*
Cargador	Battery charger	*Bátri chárya*
Brillo	Gloss	*Glos*
Mate	Matt	*Mat*

¿Puede ampliarme estas copias?
Can you enlarge these prints?
Can iú inláarch díis prints?

¿Hacen fotos de carné?
Do you take passport photos?
Du iú téik pásport fóutos?

Mi cámara no funciona, ¿puede ver qué le pasa?
My camera won't work, can you see what is wrong with it?
Mai cámra uónt uórk, can iú síi uóts rong uidít?

Gafas	Glasses	*Gláasis*
Cristal	Lens	*Lens*
Montura	Frame	*Fréim*

Lentes de contacto(lentillas)
Contact lenses
Cóntact lénsis

Gafas de sol
Sun glasses
San gláasis

Necesito que me gradúe la vista, por favor
I'd like to have an eye test, please
Áid láik tu jav an ái-test, plíis

¿Ve mal de cerca o de lejos?
Are you long-sighted or short-sighted?
Ar iú long-sáitid or short-sáitid?

¿Puede leer las letras del panel?
Can you read out the letters on the chart?
Can iú ríid de létas on de cháart?

Necesito gafas para leer
I need a pair of reading glasses
Ái níid a per ov ríiding gláasis

Se me ha roto la montura/un cristal de las gafas
The frame/a lens on these glasses is broken
De fréim/a lens on díis gláasis is bróuken

¿Puede repararlo?
Can you repair it?
Can iú ripér it?

¿Cuándo estarán listas?
When will they be ready?
Uén uíl déi bíi rédi?

Necesito un líquido limpiador de lentillas
I'm looking for some cleaning fluid for contact lenses
Áim lúking for sam clíining flúid for cóntact lénsis

Rosa	Rose	*Róus*
Clavel	Carnation	*Carnéishen*
Margarita	Daisy	*Déisi*
Orquídea	Orchid	*Órkid*
Lirio	Iris	*Áiris*
Azucena	White lily	*Uáit líli*
Violeta	Violet	*Váiolet*
Pensamiento	Pansy	*Pánsi*
Dalia	Dahlia	*Déilia*
Nardo	Spikenard	*Spáiknaard*
Gardenia	Gardenia	*Gardíinia*
Jacinto	Hyacinth	*Jáiasinz*
Narciso	Daffodil	*Défodil*
Crisantemo	Chrysanthemum	*Crisánzemem*
Tulipán	Tulip	*Tiúlip*

Quería un ramo de flores
I'd like a bouquet
Áid láik a buké

¿Pueden mandarlo a esta dirección mañana antes de las doce?
Can you send it to this address before twelve tomorrow?
Can iú séndit tu dis ádres bifór tuélv tumórou?

Envíen también esta tarjeta, por favor
Could you please send this card too?
Cud iú plíis send dis card túu?

¿Cómo se llaman estas flores?
What are these flowers called?
Uót ar díis fláuas cold?

EN UN ESTANCO

Estanco	Tobacconist's	*Tobéconists*
Tabaco	Tobacco	*Tobécou*
Cigarrillo	Cigarette	*Sígaret*
Puro	Cigar	*Sigáar*
Cerillas	Matches	*Mátchis*
Encendedor	Lighter	*Láita*
Pipa	Pipe	*Páip*
Boquilla	Cigarette holder	*Sígaret jóulda*
Cartón	Carton	*Cáartn*

Tabaco rubio/negro/de pipa
Virginia/black/pipe tobacco
Viryínia/blak/páip tobécou

Un paquete de cigarrillos con filtro, por favor
A packet of filter tipped cigarettes, please
A páket ov fílta tipt sígarets, pliis

¿De qué marca?
What type?
Uót táip?

Deme también una caja de cerillas
Give me a box of matches too
Guívmi a báaks ov mátchis túu

EN UNA PELUQUERÍA

Peluquero/a	Hairdresser	*Jerdrésa*
Pelo (cabello)	Hair	*Jer*
Tijeras	Scissors	*Sísos*
Peine	Comb	*Cóum*
Cepillo	Brush	*Brash*
Secador	Dryer	*Dráia*
Champú	Shampoo	*Shampú*
Champú anticaspa	Anti-dranduff shampoo	*Énti-déndraf shampú*
Suavizante	Conditioner	*Condíshena*
Corte de pelo	Hair cut	*Jer cat*
Trenza	Plait	*Plat*
Flequillo	Fringe	*Frinch*
Rizo	Curl	*Kerl*
Lavado	Shampooing	*Shampúing*
Peinado	Hair style	*Jer stáll*
Mechas	Highlights	*Jái-laíts*
Manicura	Manicure	*Mánikiur*
Tinte	Dyeing	*Dáiing*

Lavar y peinar
Shampoo and style
Shampú and stáil

El agua está demasiado caliente/fría
The water is too hot/cold
De uóta is túu jot/cóuld

Tengo el cabello graso/seco
My hair is greasy/dry
Mai jer is gríisi/drái

Se me cae mucho el pelo
I'm losing a lot of hair
Áim lúsing a lot ov jer

¡Córteme sólo las puntas!
Trim the ends
Trim di ends

Quiero un corte como éste
I'd like a hair cut like this
Áid láik a jer cat láik dis

Quisiera teñirme el pelo/hacerme un moldeador
I'd like to dye my hair/have a perm
Áid láik tu dái mai jer/jav a perm

¿Del mismo color?
Same colour?
Séim cála?

Un poco más oscuro/claro
A little darker/lighter
A lítel darka/láita

¿Cómo la peino?
How shall I set your hair?
Jáu shel ái set yor jer?

Todo hacia atrás, sin raya
Towards the back, without any parting
Touárds de bak, uidáut éni párting

Así está bien, gracias
That's fine, thank you
Dats fáin, zénkiu

¿Cuánto le debo?
How much is that?
Jau mach is dat?

PELUQUERÍA DE CABALLEROS

Afeitado	Shave	*Shéiv*
Barba	Beard	*Bíed*
Bigote	Moustache	*Mostásh*
Patillas	Sideboards	*Sáid-bords*

Deseo afeitarme
I want a shave
Ái uónt a shéiv

Arrégleme el bigote
Trim the moustache
Trim de mostásh

Córteme el pelo a navaja
A razor cut, please
A réiser cat, plíis

No me corte mucho
Just a trim
Yost a trim

TIEMPO LIBRE

¿Qué lugares de interés hay en la ciudad?
What places of interest are there in the town?
Uót pléisis ov íntrist ar déa in de táun?

Monumento	Monument	*Móniument*
Museo	Museum	*Miusíem*
Galería de arte	Art gallery	*Áart guélri*
Catedral	Cathedral	*Cazídral*
Iglesia	Church	*Cherch*
Capilla	Chapel	*Chápel*
Claustro	Cloister	*Clóista*
Cúpula	Dome	*Dóum*
Nave	Nave	*Néiv*
Palacio	Palace	*Pálas*
Torre	Tower	*Táua*
Patio	Courtyard	*Cóort-yárd*

MUSEOS Y GALERÍAS DE ARTE

Horas de visita	Visiting hours	*Vísiting áuas*
Abierto	Open	*Óupen*
Cerrado	Closed	*Clóust*

Entrada	Ticket/Entrance	*Tíket/éntrans*
Entrada	Ticket/Entrance	*Tíket/éntrans*
Entrada libre	Free admission	*Frii admíshen*
Catálogo	Brochure	*Bróusha*
Tienda de regalos	Gift shop	*Guíft-shop*
Guardarropa	Cloakroom	*Clóuk-rúum*
Salas	Halls	*Jols*
Exposición	Exhibition	*Eksibíshen*
Guía	Guide	*Gáid*
Dibujo	Drawing	*Dróoing*
Grabado	Engraving	*Ingréiving*
Cerámica	Pottery	*Páatri*
Escultura	Sculpture	*Scálpcha*
Acuarela	Watercolour	*Uóta-cála*
Retrato	Portrait	*Pórtreit*
Paisaje	Landscape	*Lándsquéip*

Cuadro (pintura)
Picture
Píkcha

Pintura clásica
Classical painting
Clásical péinting

Arte moderno
Modern art
Máadern áart

Pintura impresionista
Impressionist painting
Impréshenist péinting

Pintura al óleo
Oil painting
Óil péinting

Prohibido hacer fotografías
No photography
Nóu fotáagrefi

¿A qué hora abre/cierra el Museo de Bellas Artes?
What time does the Fine Arts Museum open/close?
Uót táim das de fáin áarts miusíem óupen/clóus?

El museo cierra los lunes
The museum is closed on Mondays
De miusíem is clóust on mándeis

¿Hay que pagar por entrar?
Is there an admission charge?
Is déa an admíshen charch?

Sólo por la exposición
Only for the exhibition
Óunli for di eksibíshen

¿A qué hora es la siguiente visita guiada?
What time does the next guided tour start?
Uót táim das de next gáidid tur start?

¿Quieren una audio-guía?
Would you like an audio-guide?
Wud iú láik an óodio-gáid?

¿Tienen algún plano del museo?
Do you have a plan of the museum?
Du iú jav a plan ov de miusíem?

¿Quién lo pintó?
Who is this painting by?
Júu is dis péinting bái?

DIVERSIONES

COMPRAR ENTRADAS

Venta de entradas	Ticket office	*Tíket ófis*
Taquilla	Box office	*Báaks ófis*
Entrada	Ticket	*Tíket*
Fila	Row	*Ráu*
Asiento	Seat	*Síit*

¿Hay que reservar?
Do we need to book?
Du uí níid tu buk?

Quisiera dos entradas para mañana por la noche/el viernes próximo
I'd like two tickets for tomorrow night/next Friday
Áid láik túu tíkets for tumórou náit/next fráidei

¿Qué entradas hay disponibles?
What tickets do you have available?
Uót tíkets du iú jav avéilebel?

Lo siento, está todo completo
I'm sorry, it's fully booked
Áim sóri, its fúli bukt

¿Cuánto valen las entradas?
How much are the tickets?
Jau mach ar de tíkets?

¿Hay algún descuento para mayores/estudiantes?
Is there a discount for senior citizens/students?
Is déa a discáunt for síinior sítisens/stiúdents?

¿Puedo pagar con tarjeta de crédito?
Can I pay by credit card?
Cánai péi bai crédit card?

¿Cuál es su número de tarjeta?
What is your card number?
Uóts yor card námba?

¿Cuál es la fecha de caducidad?
What is the expiry date?
Uóts di ikspáiri deit?

¿Cuándo puedo recoger las entradas?
When do I collect the tickets?
Uén du ái coléct de tíkets?

TEATRO

Teatro	Theatre	*Zíata*
Obra	Play	*Pléi*
Actor	Actor	*Ácter*
Actriz	Actress	*Áctres*
Pasillo	Aisle	*Áil*
Platea	Stalls	*Stóols*
Palcos	Boxes	*Báaksis*
Escenario	Stage	*Stéich*
Decorados	Scenery	*Síineri*
Función	Show	*Shóu*
Acto	Act	*Act*
Entreacto	Interval	*Íntevel*

¿Qué ponen en el Teatro ... esta noche?
What is on at the Theatre ... tonight?
Uóts on at de zíata ... tunáit?

¿Hasta cuándo estará la obra en cartel?
When is the play on until?
Uén is de pléi on ontíl?

¿A qué hora empieza la obra?
What time does the performance start?
Uót táim das de perférmans start?

¿Cuánto dura?
How long does the performance last?
Jau long das de perférmans last?

¿Podría darme un programa, por favor?
Could I have a programme, please?
Cud ái jav a próugrem, plíis?

¿Dónde está el guardarropa?
Where is the cloakroom?
Uéa is de clóuk-rúum?

CONCIERTOS

Sala de conciertos	Concert hall	*Cónsert jol*
Ópera	Opera house	*Áapra jáus*
Música	Music	*Miúsic*
Músico	Musician	*Miusíshen*
Orquesta	Orchestra	*Órkistra*
Director	Conductor	*Condácter*
Cantante	Singer	*Sínga*
Público	Audience	*Óodiens*

CINE

Cine	Cinema	*Sínema*
Cartelera	List of plays	*List ov pléis*
Película	Film	*Film*
Pantalla	Screen	*Scriin*
Sesión	Showing	*Shóuing*
Documental	Documentary	*Dokiuménteri*
Dibujos animados	Cartoons	*Cartúuns*

¿Qué película echan en el cine ...?
What's on at the ... cinema?
Uóts on at de... sínema?

¿Dónde se proyecta la nueva película de ...?
Where is the new film by ... on?
Uéa is de niú film bái ... on?

¿Es en versión original con subtítulos?
Is it in the original language with subtitles?
Is it in di oríyinal lángüich uíd sab-táitels?

No, está doblada
No, it's dubbed
Nou, its dabd

DISCOTECAS

¿Hay una buena discoteca cerca de aquí?
Do you know any good clubs near here?
Du iú nóu éni gud clabs nía jía?

¿A qué hora cierran?
What time do you close?
Uót táim du iú clóus?

¿Tienen música en vivo esta noche?
Do you have any live music tonight?
Du iú jav éni láif miúsic tunáit?

EN LA PLAYA/PISCINA

Playa	Beach	*Bíich*
Mar	Sea	*Síi*
Piscina	Swimming pool	*Suíming púul*
Arena	Sand	*Sand*
Ola	Wave	*Uéiv*
Orilla	Shore	*Shóo*
Barca	Boat	*Bóut*
Sombrilla	Sunshade	*San-shéid*
Tumbona	Sun bed	*San-bed*

Bañador — Bathing costume — *Béiding cóstium*
Trampolín — Spring board — *Spring-bord*
Ducha — Shower — *Sháua*

¿Es peligroso bañarse aquí?
Is it dangerous to swim here?
Is it dányerous tu suím jía?

¿Hay socorristas?
Are there lifeguards?
Ar déa láifgards?

El agua está sucia (contaminada)
The water is dirty (polluted)
De uóta is dérti (polúutid)

DE CAMPING

Camping (lugar) — Camp-site — *Camp-sáit*
Caravana — Caravan — *Cáravan*
Martillo — Hammer — *Jáma*
Linterna — Lamp — *Lamp*
Abrelatas — Tin-opener — *Tin-óupena*
Navaja — Pocket knife — *Póket-náif*
Sacacorchos — Corkscrew — *Córkscruu*
Servicios — Toilets — *Tóilets*

Tienda de campaña
Tent
Tent

Saco de dormir
Sleeping bag
Slíiping bag

Bombona de butano
Butane cylinder
Biútein sílinda

Enchufe
Power point
Páua póint

Estoy buscando un camping cerca de la playa
I'm looking for a camp-site near the beach
Áim lúking for a camp-sáit nía de bíich

¿Cuál es la tarifa diaria?
Can you tell me the daily fee?
Can iú télmi de déily fíi?

Queremos quedarnos ... días
We'd like to stay for ... days
Uíd láik tustéi for ... déis

¿Podemos montar la tienda aquí?
Can we pitch the tent here?
Can uí pitch de tent jía?

¿Dónde puedo aparcar el coche?
Where can I park my car?
Uéa cánai park mai car?

¿Es agua potable?
Is the water drinkable?
Is de uóta drínkebel?

¿Podemos encender fuego?
Can we light a fire?
Can uí láit a fáia?

¿Hay vigilancia nocturna?
Is there a night watchman on the camp-site?
Is déa a náit-uótchman on de camp-sáit?

¿Hay un supermercado cerca?
Is there a supermarket near here?
Is déa a súupa-márkit nía jía?

¿Dónde está el/la ... más próximo/a?
Where is the nearest ...?
Uéa is de níarest ...?

gimnasio	gym	*yim*
piscina	swimming pool	*suíming púul*

polideportivo	**pista de tenis**
sports centre	tennis court
sports sénta	*ténis cóort*

campo de golf	**campo de fútbol**
golf course	football ground
golf cóors	*fúutbol gráund*

Quería alquilar una tabla de windsurfing
I'd like to hire a sailboard
Aid laik tu jáia a séll-boor I

¿Hay monitores de esquí acuático?
Is there a water-skiing instructor?
Is déa a uóta-skiing instrácter?

¿Puedo tener una clase?
Can I have a lesson?
Cánai jav a léson?

¿Cuánto cuesta una hora de clase?
How much does a one-hour lesson cost?
Jau mach das a uán-áua léson cost?

Quisiera reservar la pista para mañana a las ...
I'd like to book the court for tomorrow at ...
Áid láik tu buk de cóort for tumórou at ...

SERVICIOS

BANCOS

Banco	Bank	*Bank*
Caja de ahorros	Savings bank	*Séivings bank*
Cambio	Exchange	*Ikschéinch*
Cotización	Exchange rate	*Ikschéinch réit*
Divisas	Foreign currency	*Fóren cárensi*
Interés	Interest rate	*Íntrist réit*
Recibo	Receipt	*Risíit*
Dinero	Money	*Máni*
Moneda	Coin	*Cóin*
Billete	Note	*Nóut*
Libra	Pound	*Páund*
Euro	Euro	*Iúrou*
Dólar	Dollar	*Dála*
Céntimo	Cent	*Sent*
Cheque	Cheque	*Chek*
Ventanilla	Counter	*Cáunta*
Caja	Cashier's desk	*Késhia-desk*
Ingresar	To pay in	*Tu péi in*
Sacar (rotirar)	To withdraw	*Tu uíddróo*

Cajero automático	**Cuenta corriente**
Cash dispenser	Current account
Cash dispénsa	*Cárent acáunt*

Cheque de viaje
Traveller's cheque
Trávelas chek

Tarjeta de crédito
Credit card
Crédit card

Transferencia
Bank transfer
Bank trénsfa

Comisión
Bank charges
Bank chárchis

¿Cuál es el horario de los bancos?
What are the banking hours?
Uót ar de bánking áuas?

Quisiera sacar … libras/dólares, por favor
I'd like to withdraw … pounds/dollars, please
Áid láik tu uiddróo … páunds/dálers, plíis

¿Tiene algún tipo de identificación?
Do you have any identification?
Du iú jav éni aidentifikéishen?

¿Cómo quiere el dinero?
How would you like the money?
Jaú wud iú láik de máni?

¿Podría darme algunos billetes pequeños, por favor?
Could you give me some smaller notes?
Cud iú guívmi sam smóla nóuts?

Quiero ingresar esto en mi cuenta, por favor
I'd like to pay this into my account, please
Áid láik tu péi dis íntu mai acáunt, plíis

¿Podría decirme mi saldo, por favor?
Could you tell me my balance, please?
Cud iú télmi mai bélens, plíis?

¿Cuál es su número de cuenta, por favor?
What is your bank account, please?
Uóts yor bank acáunt, plíis?

Quería cambiar dinero
I'd like to change some money
Áid láik tu chéinch sam máni

¿A cómo está el cambio en euros?
What is the exchange rate for euros?
Uóts di ikschéinch réit for iúrous?

¿Puedo cobrar este cheque al portador?
Can I cash this bearer cheque?
Cánai cash dis béara chek?

Firme aquí, por favor
Sign here, please
Sáin jía, plíis

Pase por caja (ventanilla número ...)
Go to the cash desk (counter number ...)
Góu tu de cash-desk (cáunta námba ...)

CAJERO AUTOMÁTICO

¿Hay un cajero automático cerca de aquí?
Where is the nearest cash dispenser?
Uéa is de níarest cash dispénsa?

Introduzca su tarjeta
Insert your card
Insért yor card

Introduzca su número secreto
Enter your PIN
Énta yor pin

Sacar dinero
Withdraw cash
Uíddroo cásh

Otras cantidades
Other amount
Óda amáunt

Aceptar/Corregir/Cancelar
Enter/Correct/Cancel
Énta/coréct/cánsel

Consultar saldo
Balance
Bélens

Por favor, espere
Please, wait
Plíis, uéit

¿Desea realizar otra operación?
Another service?
Anóda sérvis?

Por favor, retire su tarjeta
Please take your card
Plíis téik yor card

CORREOS

Correos	Post office	*Póust ófis*
Buzón	Letter box	*Léta-báaks*
Por correo	By mail	*Bái méil*
Por avión	Air mail	*Er méil*
Envío	Delivery	*Dilíveri*
Recogida	Collection	*Colékshen*
Carta	Letter	*Léta*
Postal	Postcard	*Póust-cáard*
Sello	Stamp	*Stamp*
Dirección	Address	*Ádres*
Remitente	Sender	*Sénda*
Destinatario	Addressee	*Edresíi*

| **Paquete** | Parcel | *Pársel* |
| **Sobre** | Envelope | *Énveloup* |

Sobre acolchado
Padded bag
Pádid bag

Lista de correos
Poste restante
Póust-restánte

Código postal
Postal code
Póustal cóud

Apartado de correos
P.O. Box
Pi-ou-báaks

Carta certificada
Recorded letter
Ricóordid léta

Urgente
Express
Iksprés

Impresos
Printed matter
Príntid máta

Contra reembolso
Cash on delivery
Cash on dilíveri

¿Dónde hay un buzón?
Is there a letter box near here?
Is déa a léta-báaks nía jía?

¿A qué hora abre Correos?
What time is the post office open?
Uót táim is de póust-ófis óupen?

Un sello para Europa
I need a stamp for Europe
Ái níid a stemp for iúrop

¿Cuál es la ventanilla de Certificados?
Which counter is for registered mail?
Uích cáunta is for reyístred méil?

Quisiera enviar esta carta urgente
I'd like to send this letter by express mail
Áid láik tu send dis léta bai iksprés méil

¿Cuánto me costaría enviar este paquete a ...?
How much will it cost to send this parcel to ...?
Jau mach uílit cost tu send dis pársel tu ...?

¿Qué documentos necesito para recoger un paquete?
What documents do I need to collect a parcel?
Uót dókiuments du ái níid tu coléct a pársel?

¿Podría rellenar este impreso, por favor?
Can you fill in this form, please?
Can iú fil in dis form, plíis?

Ponga la fecha de hoy y firme aquí, por favor
Put today's date and sign here, please
Put tudéis déit and sáin jía, plíis

Deseo cobrar este giro postal
I'd like to cash this postal order
Áid láik tu cash dis póustal órda

Teléfono público	Public telephone	*Páblic télifoun*
Cabina	Telephone box	*Télifoun báaks*
Locutorio	Call centre	*Col sénta*
Monedas	Coins	*Cóins*
Número	Number	*Námba*
Prefijo	Code number	*Cóud námba*
Llamada	Telephone call	*Télifoun col*
Mensaje	Message	*Mésich*

Información telefónica
Directory enquiries
Dairéctori incuáiris

Páginas blancas/amarillas
White/yellow pages
Uáit/yélou péichis

Contestador
Answering machine
Áansering mashíin

Guía telefónica
Telephone directory
Télifoun dairéctori

Teléfono fijo
Fixed line
Fikst láin

(Teléfono) móvil
Mobile phone/Cellphone
Móubail fóun/sélfoun

Tarjeta de teléfono
Phonecard
Fóun-card

Tarjeta de prepago
Prepaid card
Pripéid card

Quiero hacer una llamada a cobro revertido a ...
I'd like to make a collect call to ...
Áid láik tu méik a coléct col tu ...

¿Cuál es el prefijo de ...?
What is the code for ...?
Uóts de cóud for ...?

El número marcado no existe
The number is not working
De námba is not uórking

No contestan
There is no answer
Déa is nou ánsa

Está comunicando
It's engaged
Its inguéich

¡Dígame!
Hello!
Jelou!

Soy ...
This is ...
Dis is ...

¿Podría hablar con...?
Could I speak to ..., please?
Cud ái spíik tu ..., plíis?

Soy yo
Speaking
Spíiking

¿De parte de quién?
Who is calling?
Júu is cóling?

Se ha equivocado
You have got the wrong number
Yuv got de rong námba

Un momento, por favor
Just a moment, please
Yast a móument, plíis

No cuelgue
Hold the line
Jóuld de lain

Le paso con él/ella
I'll put him/her on
Áil put jim/jer on

Ha salido
He/she is out
Jíi/shíi is áut

¿Quiere dejarle un recado?
Would yo like to leave a message?
Wud iú láik tu líiv a mésich?

Dígale que ... ha llamado
Tell him/her that ... has called
Tel jim/jer dat ... jas cold

Llamaré más tarde
I'll call back later
Áil col back léita

Gracias por su llamada
Thanks for calling
Zanks for cóling

CONTESTADOR AUTOMÁTICO

En estos momentos no podemos atenderle
There is no-one here to take your call at the moment
Déa is no-uán jía tu téik yor col at de móument

Por favor, deje su mensaje después de la señal
Please, leave your message after the beep
Plíis, líiv yor mésich áfta de bíip

TELÉFONOS MÓVILES

Necesito recargar mi móvil
I need to charge up my phone
Ái níid tu charch ap mai fóun

Se me va a acabar pronto la batería
My battery is about to run out
Mai bátri is abáut tu ránaut

Voy a quedarme sin saldo
I'm about to run out of credit
Áim abáut tu ranaut ov crédit

Te enviaré un mensaje de texto
I'll send you a text message
Áil séndiu a text mésich

Fax

¿Podría enviar un fax?
Could I send a fax?
Cud ái send a fax?

¿Cuánto cuesta cada hoja?
How much is per page?
Jau mach is per péich?

Internet

Conexión a internet
Internet access
Ínternet ákses

Correo electrónico
E-mail
Íi-méil

¿Cuáles son las tarifas de internet?
What are your prices for Internet access?
Uót ar yor práisis for ínternet ákses?

¿Cuál es su/tu dirección de correo electrónico?
What is your e-mail address?
Uóts yor íi-méil ádres?

Le envío el documento por correo electrónico
I'm sending it as an attachment in an e-mail
Áim sénding iú an atáchment in an íi-méil

Comisaría	Police station	*Políis stéishen*
Policía	Police	*Polís*
Policía (agente)	Police officer	*Políis ófisa*
Denuncia	Report	*Ripórt*
Declaración	Statement	*Stéitment*
Abogado	Lawyer	*Lóya*
Robo	Theft	*Zeft*
Ladrón	Thief	*Cíif*
Cartera	Wallet	*Uólit*
Bolso	Handbag	*Jándbag*
Atraco	Mugging	*Máguing*
Agresión	Aggression	*Agréshen*
Pelea	Fight	*Fáit*
Accidente	Accident	*Áksident*
Testigo	Witness	*Uítnis*
Pasaporte	Passport	*Pásport*

¿Dónde está la comisaría más próxima?
Where is the nearest police station?
Uéa is de níarest políis stéishen?

Me han robado el/la ...	**Me han golpeado**
My ... has been stolen	I've been hit
Mai ... jas bíin stóulen	*Aiv bíin jit*

Se me ha perdido el pasaporte
I've lost my passport
Aiv lost mai passport

He tenido un accidente de coche
I've had a car accident
Aiv jad a car áksident

No entiendo. ¿Puede venir un intérprete?
I don't understand. Can I have an interpreter?
Ái dont ánderstand. Cánai jav an intérprita?

¿Puedo llamar a mi embajada/consulado?
Can I call my embassy/consulate?
Cánai col mai émbesi/cónsiulet?

¿Cómo debo cumplimentar la denuncia?
How should I fill in the report?
Jau shúdai fil in de ripórt?

Rellene este impreso y fírmelo
Please complete and sign this form
Plíis complíit and sáin dis form

SALUD

Cabeza	Head	*Jed*
Cara	Face	*Féis*
Ojo	Eye	*Ái*
Nariz	Nose	*Nóus*
Oído	Ear	*Ía*
Boca	Mouth	*Máuz*
Lengua	Tongue	*Tang*
Garganta	Throat	*Zróut*
Cuello	Neck	*Nek*
Hombro	Shoulder	*Shóulda*
Brazo	Arm	*Arm*
Codo	Elbow	*Élbou*
Muñeca	Wrist	*Rist*
Mano	Hand	*Jand*
Dedo	Finger	*Finga*
Espalda	Back	*Bak*
Pecho	Chest	*Chest*
Pierna	Leg	*Leg*
Rodilla	Knee	*Níi*
Pie	Foot	*Fúut*
Dedo del pie	Toe	*Tóu*

Corazón	Heart	*Jáart*
Estómago	Stomach	*Stómak*
Vientre	Abdomen	*Ábdomen*
Pulmón	Lung	*Lang*
Hígado	Liver	*Líva*
Riñones	Kidneys	*Kídnis*
Intestinos	Intestines	*Intéstins*
Hueso	Bone	*Bóun*

MÉDICO

Hospital	Hospital	*Jóspital*
Médico	Doctor	*Dócter*
Enfermera	Nurse	*Nérs*
Paciente	Patient	*Péishent*
Enfermedad	Illness	*Ílnes*
Dolor	Pain	*Péin*
Rayos X	X-ray	*Iks-réi*
Receta	Prescription	*Priscrípshen*

Primeros auxilios
First aid
Ferst éid

Centro de salud
Health centre
Jelz sénta

Seguro médico privado
Private medical insurance
Práivit médical inshúerens

Tarjeta sanitaria
Health Insurance Card
Jelz inshúerens card

Consulta
Surgery (room)
Séryeri (rúum)

Sala de espera
Waiting room
Uéiting-rúum

Presión sanguínea
Blood pressure
Blad présha

Grupo sanguíneo
Blood group
Blad grúup

¿Puede llamar a un médico?
Can you call a doctor?
Can iú col a dóctor?

¿Conoce a algún médico que hable español?
Do you know a doctor who speaks Spanish?
Du iú nóu a dóctor júu spíiks spánish?

¿Puede llevarme a Urgencias?
Can you take me to the Casualty Department?
Can iú téikmi tu de cáshiualti depártment?

No me siento bien	**¿Qué le pasa?**
I don't feel well	What is the matter?
Ái dont fíil uél	*Uóts de máta?*

Tengo ...
I've got ...
Áiv got ...

gripe	flu (influenza)	*flúu (influénza)*
tos	a cough	*a cof*
fiebre	a temperature	*a témprita*

dolor de cabeza	**dolor de estómago**
a headache	a stomach ache
a jedéik	*a stómak-éik*

dolor de garganta	**Estoy resfriado/a**
a sore throat	I've got a cold
a sóo zróut	*Áiv got a could*

Tengo mareos
I'm suffering from dizzy spells
Áim sáfering from dísi spels

Creo que me he roto una pierna
I think I've broken my leg
Ái zink aiv bróuken mai leg

Me he torcido un tobillo
I've sprained my ankle
Aiv spréind mai ánkel

Me cuesta trabajo respirar
I've difficulties in breathing
Áiv díficaltis in bríizing

Padezco del corazón
I've heart problems
Ái jav jáart práablem

¿Dónde le duele?
Where does it hurt?
Uéa dásit jert?

¿Desde cuándo está enfermo?
How long have you been ill?
Jau long jáviu bíin il?

Soy alérgico a ...
I'm allergic to ...
Áim aléryik tu ...

Estoy embarazada de ... semanas
I'm in my ... week of pregnancy
Áim in mai ... uíik ov prégnansi

¿Está tomando alguna medicación?
Are you on any sort of medication?
Ar iú on éni sort ov medikéishen?

Respire hondo, tosa, saque la lengua
Take a deep breath, cough, put out your tongue
Téik a díip bríiz, caf, pútaut yor tang

Quítese la ropa, por favor
Undress, please
Án-drés, plíis

Debe guardar reposo
You need to rest
Iú níid tu rest

No se preocupe
Don't worry
Dont uóri

Tome estas pastillas/este jarabe cada ... horas
Take these pills/this syrup every ... hours
Téik díis pils/dis sírep évri ... áuas

Tiene que volver dentro de … días
Come back in … days
Cam back in … déis

DENTISTA

Dientes	Teeth	*Tíiz*
Muela	Back tooth	*Bak túuz*
Muela del juicio	Wisdom tooth	*Uísdom túuz*
Encía	Gum	*Gam*
Caries	Tooth decay	*Túuz dikéi*
Empaste	Filling	*Fíling*
Anestesia	Anaesthetic	*Anescétic*

Me duele este diente/muela
This tooth hurts
Dis túuz jerts

Tengo una muela picada
I've a chipped tooth
Áiv a chipt túuz

Habrá que sacarla
I must take it out
Ái mast téikit áut

Se me ha caído un empaste. ¿Puede empastármelo enseguida?
I've lost a filling. Can you fill it at once?
Áiv lost a filing. Can iú filit at uáns?

Quiero hacerme una limpieza/una revisión
I need a clean up/a check up
Ái níid a clíin ap/a check ap

No cierre la boca
Don't close your mouth
Don't clóus yor máuz

Escupa y enjuáguese
Spit and rinse, please
Spit and rins, plíis

No mastique en unas horas
Don't chew for a few hours
Dont chúu for a fiú áuas

DICCIONARIO DE VIAJE

ESPAÑOL-INGLÉS

a

a. to, at. *tu, at*

abajo. down. *dáun*

abierto. open. *óupen*

abogado. lawyer. *lóya*

abrigo. coat. *cóut*

abril. April. *éipril*

abrir. to open. *tu óupen*

acabar. to finish. *tu finish*

accidente. accident. *áksident*

aceite. oil. *óil*

aceituna. olive. *óliv*

aceptar. to accept. *tu aksépt*

acera. pavement. *péivment*

aconsejar. to advise. *tu advávis*

acuerdo (de...). OK/All right. *ou-kéi/ol-ráit*

adelante. ahead. *ajéd*

además. besides. *bisáids*

adiós. goodbye. *gudbái*

aduana. customs. *cástoms*

afeitarse. to shave. *tu shéiv*

agencia. agency. *éiyensi*

agosto. August. *óogost*

agradable. nice. *náis*

agua. water. *uóta*

ahí. there. *déa*

ahora. now. *náu*

aire. air. *er*

alcohol. alcohol. *álcojol*

algo. something. *sámzing*

almohada. pillow. *pílou*

almorzar. to have lunch. *tu jav lanch*

alojamiento. accommodation. *acomodéishen*

alquilar. to rent, to hire. *tu rent, tu jáia*

alrededor. around. *aráund*

alto. tall, high. *tol, jái*

allí. there. *déa*

amable. kind. *cáind*

amarillo. yellow. *yélou*

ambulancia. ambulance. *ámbiulans*

americano. American. *amériken*

amigo. friend. *frend*

ancho. wide. *uáid*

andar. to walk. *tu uók*

andén. platform. *plátform*

anoche. last night. *last náit*

anuncio. advertisement. *advértisment*

aparcar. to park. *tu park*

aparcamiento. parking. *párking*

apartamento. apartment. *apártment*

antes. before. *bifór*

año. year. *yía*

apellido. surname. *sérneim*

aprender. to learn. *tu léern*

aquel. that. *dat*

aquí. here. *jía*
arena. sand. *sand*
arriba. up. *ap*
arroz. rice. *ráis*
artesanía. handicraft. *jándicraft*
asado. roast. *róust*
ascensor. lift. *lift*
así. so. *sóu*
asiento. seat. *síit*
atención. attention. *aténshen*
aterrizar. to land. *tu land*
atrás. back. *bak*
atún. tuna. *túuna*
aunque. although. *oldóu*
autobús. bus. *bas*
autocar. coach. *cóuch*
autopista. motorway.
   móutor-uéi
autovía. dual carriageway.
   dúal cárich-uéi
avería. breakdown. *bréik-dáun*
averiado. out of order. *áut*
   ov órda
avión. plane. *pléin*
aviso. notice. *nóutis*
ayer. yesterday. *yésterdei*
ayudar. to help. *tu jelp*
ayuntamiento. town hall.
   táun-jol
azafata. stewardess. *stíuardes*
azúcar. sugar. *shúga*
azul. blue. *blu*

b

bailar. to dance. *tu déns*
bajo. low, short. *lóu, short*

banco. bank. *bank*
bañarse. to bathe. *tu béid*
baño. bath. *báaz*
barato. cheap. *chíip*
barco. ship. *ship*
barrio. district. *dístrict*
bastante. enough. *enáf*
beber. to drink. *tu drink*
bebida. drink. *drink*
biblioteca. library. *láibreri*
bicicleta. bicycle. *báisekel*
bien. well. *uél*
bienvenido. welcome. *uélcam*
billete. ticket. *tíket*
blanco. white. *uáit*
boca. mouth. *máuz*
bolígrafo. ballpoint pen.
   bolpóint pen
bolsa. bag. *bag*
bolso. handbag. *jándbag*
bolsillo. pocket. *pókit*
bonito. pretty. *príti*
bota. boot. *búut*
botella. bottle. *bátel*
brazo. arm. *arm*
bronceador. sun tan cream.
   san tan críim
bueno. good. *gud*
buscar. to look for. *tu luk for*
buzón. letter box. *léta-báaks*

c

cabello. hair. *jer*
cabeza. head. *jed*
cabina. telephone box. *télifoun*
   báaks

cada. each, every. *íich, évri*

café. coffee. *cófi*

cafetería. coffee shop. *cófi shop*

caja. box, cash. *báaks, cash*

calefacción. heating. *jíiting*

caliente. hot. *jot*

calmante. sedative. *sédatif*

calor. heat. *jíit*

calle. street. *stríit*

cama. bed. *bed*

cámara. camera. *cámra*

camarero. waiter. *uéita*

cambiar. to change. *tu chéinch*

cambio. change, exchange. *chéinch, ikschéinch*

camino. way. *uéi*

camión. lorry. *lóri*

camisa. shirt. *shert*

cancelar. to cancel. *tu cánsel*

cara. face. *féis*

carne. meat. *míit*

carnicería. butcher's. *búchas*

caro. expensive. *ekspénsif*

carretera. road. *róud*

carta. letter. *léta*

cartera. wallet. *uólit*

casado. married. *mérid*

casi. nearly, almost. *níaly, ólmoust*

castillo. castle. *cásel*

catedral. cathedral. *cazídral*

catorce. fourteen. *foortíin*

cebolla. onion. *ónion*

cena. dinner, supper. *dína, sápa*

cenicero. ashtray. *áshtrey*

céntimo. cent. *sent*

centro. centre. *sénta*

cepillo. brush. *brash*

cerca. near. *nía*

cerdo. pork, pig. *pork, pig*

cereza. cherry. *chéri*

cerilla. match. *match*

cero. zero. *sírou*

cerrado. closed. *clóust*

cerrar. to close. *tu clóus*

cerveza. beer. *bía*

champú. shampoo. *shampú*

chaqueta. jacket. *yáket*

cheque. cheque. *chek*

chico/a. boy, girl. *bói, guerl*

chocolate. chocolate. *chóclit*

chuleta. chop. *chop*

cielo. sky. *skái*

cien. one hundred. *uán jándred*

cigarrillo. cigarette. *sígaret*

cinco. five. *fáiv*

cincuenta. fifty. *fífti*

cine. cinema. *sínema*

cinturón. belt. *belt*

ciruela. plum. *plam*

cita. appointment. *apóintment*

ciudad. town, city. *táun, síti*

clase. class, kind, sort. *clas, káind, sort*

cliente. customer, client. *cástoma, cláient*

clima. climate. *cláimit*

cobrar. to cash. *tu cash*

coche. car. *car*

coger. to catch, to take. *tu catch, tu téik*

cola. queue, tail. *kiúu, téil*

colchón. mattress. *mátres*

color. colour. *cála*

comedor. dining room. *dáining-rúum*

comenzar. to begin. *tu biguín*

comer. to eat. *tu íit*

comida. meal, food. *míil, fúud*

comisaría. police station. *políis stéishen*

como. how, like, as. *jáu, láik, as*

comprar. to buy. *tu bái*

comprender. to understand. *tu anderstánd*

con. with. *uíd*

conducir. to drive. *tu dráiv*

conmigo. with me. *uíd mi*

conocer. to know. *tu nóu*

consigna. left-luggage office. *left-láguich ófis*

consulado. consulate. *cónsiulet*

consulta. surgery. *séryeri*

contar. to tell, to count. *tu tel, tu cáunt*

contento. glad. *glad*

contigo. with you. *uíd iú*

contra. against. *eguéngst*

copa. (wine) glass. *(uáin) glas*

corazón. heart. *jáart*

corbata. tie. *tái*

cordero. lamb. *lamb*

correo. mail. *méil*

Correos. post office. *póust-ófis*

cortar. to cut. *tu cat*

corto. short. *short*

cosa. thing. *zing*

costa. coast. *cóust*

cotización. rate. *réit*

cristal. glass. *glas*

cruce. crossroads. *crósrouds*

crucero. cruise. *crúus*

cruzar. to cross. *tu cros*

cuadrado. square. *scuéa*

cuadro. picture. *píkcha*

cuál. which. *uích*

cualquiera. any. *éni*

cuando. when. *uén*

cuánto. how much/many. *jáu mach/méni*

cuarenta. forty. *fórti*

cuarto. quarter, fourth, room. *cuóta, fóorz, rúum*

cuatro. four. *fóor*

cuchara. spoon. *spúun*

cuchillo. knife. *náif*

cuenta. bill, account. *bil, acáunt*

cuerpo. body. *báadi*

cuidado. care, attention. *kéa, aténshen*

curva. bend, curve. *bend, kerv*

d

dar. to give. *tu guiv*

de. of, from. *ov, from*

deber. must. *mast*

decir. to say, to tell. *tu séi, tu tel*

dedo. finger, toe. *fínga, tóu*

dejar. to leave, to let. *tu líiv, tu let*

delante. in front. *in front*

demasiado. too, too much/many. *túu, túu mach/méni*

dentista. dentist. *déntist*

dentro. inside. *ínsaid*

denuncia. report. *ripórt*

deporte. sport. *sport*

derecha. right. *ráit*

derecho. right, straight. *ráit, stréit*

desayuno. breakfast. *brékfast*

descuento. discount. *discáunt*

desde. from, since. *from, sins*

desear. to want. *tu uónt*

despacio. slowly. *slóuli*

después. after. *áfta*

detrás. behind. *bijáind*

día. day. *déi*

dibujo. drawing. *dróoing*

diccionario. dictionary. *díkshenri*

diciembre. December. *disémba*

diente. tooth. *túuz*

diez. ten. *ten*

difícil. difficult. *díficalt*

dinero. money. *máni*

dirección. direction, address. *dairékshen, ádres*

directo. direct. *dairéct*

diversión. entertainment. *entetéinment*

divisa. foreign currency. *fóren cárensi*

doble. double. *dábel*

doce. twelve. *tuélv*

dólar. dollar. *dála*

dolor. pain, ache. *péin, éik*

domicilio. address. *ádres*

domingo. Sunday. *sándei*

donde. where. *uéa*

dormir. to sleep. *tu slíip*

dormitorio. bedroom. *bed-rum*

dos. two. *túu*

ducha. shower. *sháua*

dulce. sweet. *suíit*

durante. during. *diúring*

durar. to last. *tu last*

e

edad. age. *éich*

edificio. building. *bílding*

ejemplo. example. *igsámpel*

el. the. *de*

él. he. *jii*

ella. she. *shii*

embajada. embassy. *émbasi*

embarazada. pregnant. *prégnent*

empezar. to begin, to start. *tu biguín, tu start*

empujar. to push. *tu push*

en. in. *in*

encendedor. lighter. *láita*

encima. above, over. *abóv, óva*

encontrar. to find, to meet. *tu fáind, tu míit*

enero. January. *yánuari*

enfermedad. illness, disease. *ílnes, disíis*

enfermera. nurse. *ners*

enfermo. ill, sick. *il, sik*

enfrente. opposite. *óposit*

ensalada. salade. *sálad*

enseñar. to teach, to show. *tu tíich, tu shóu*

entender. to understand. *tu anderstánd*

entero. whole. *jóul*

entonces. then. *den*

entrada. entrance, ticket. *éntrans, tíket*

entre. between, among. *bituíin, amáng*

enviar. to send. *tu send*

equipaje. luggage. *láguich*

error. mistake. *mistéik*

escala. stopover. *stop-óva*

escalera. stairs. *stéas*

escribir. to write. *tu ráit*

escuchar. to listen. *tu lísen*

escuela. school. *scul*

ese/a. that. *dat*

espalda. back. *bak*

español. Spanish. *spánish*

espectáculo. show. *shóu*

espejo. mirror. *míror*

esperar. to wait, to hope. *tu uéit, tu jóup*

esquiar. to ski. *tu skíi*

esquina. corner. *córna*

estación. station, season. *stéishen, síisen*

estanco. tobacconist's. *tobéconists*

estar. to be. *tu bíi*

este. this, East. *dis, íist*

estómago. stomach. *stómak*

estrecho. narrow, tight. *nérou, táit*

estreñimiento. constipation. *constipéishen*

estudiante. student. *stiúdent*

euro. euro. *iúrou*

exposición. exhibition. *eksibíshen*

extranjero. foreign(er). *fóren(a)*

f

fácil. easy. *íisi*

factura. invoice. *invóis*

facturar. to check in. *tu chékin*

falda. skirt. *skert*

familia. family. *fámili*

farmacia. chemist's. *kémists*

favor (por...). please. *plíis*

febrero. February. *fébruari*

fecha. date. *déit*

feliz. happy. *jápi*

feo. ugly. *ágli*

fiebre. fever. *fíva*

fiesta. party. *páarti*

fila. row, line. *róu, láin*

filete. steak. *stéik*

fin(al). end. *end*

firmar. to sign. *tu sáin*

folleto. brochure. *bróusha*

foto. photo, picture. *fóuto, píkcha*

fresa. strawberry. *stróberi*

fresco. cool, fresh. *cúul, fresh*

frío. cold. *cóuld*

frito. fried. *fráid*

frontera. frontier. *frántia*

fruta. fruit. *frúut*

fuego. fire. *fáia*

fuente. fountain. *fáuntin*

fuera. out, outside. *áut, áutsaid*

fumar. to smoke. *tu smóuk*

furgoneta. van. *van*

g

gafas. glasses. *gláasis*

galleta. biscuit. *bískit*

garganta. throat. *zróut*

gasolina. petrol. *pétrol*

gasolinera. petrol station.
petrol stéishen

gente. people. *pípel*

gracias. thanks. *zanks*

grado. degree. *digríi*

gran(de). big, great, large. *big,
gréit, láarch*

gratis. free. *frii*

grifo. tap. *tap*

gripe. influenza. *influénsa*

gris. grey. *gréi*

guía. guide. *gáid*

gustar. to like. *tu láik*

h

haber. to have. *tu jav*

habitación. room. *rúum*

hablar. to speak, to talk.
tu spík, tu tok

hacer. to do, to make. *tu du,
tu méik*

hambre. hunger. *jánga*

harina. flour. *fláua*

hasta. until. *ontíl*

helado. ice-cream. *áis-críim*

herido. injured, wounded.
ínyed, wúundid

hermano/a. brother, sister.
bróda, sísta

herramienta. tool. *túul*

hielo. ice. *áis*

hijo/a. son/daughter. *son/dóota*

hola. hello. *jelou*

hombre. man. *man*

hora. hour. *áua*

horario. timetable. *táim-téibel*

hospital. hospital. *jóspital*

hotel. hotel. *joutél*

hoy. today. *tudéi*

huelga. strike. *stráik*

hueso. bone. *bóun*

huevo. egg. *eg*

i

idioma. language. *lángüich*

iglesia. church. *cherch*

igual. same, equal. *séim, ícual*

impermeable. raincoat.
réincout

impuesto. tax. *tax*

incluido. included. *inclúudid*

individual. single. *sínguel*

información. información.
informéishen

inglés. English. *ínglish*

invitar. to invit *tu ínváit*

intentar. to try. *tu trái*

interés. interest. *íntrest*

interesante. interesting.
íntresting

intérprete. interpreter. *intérprita*

invierno. winter. *uínta*

ir. to go. *tu góu*

isla. island. *áiland*

izquierdo. left. *left*

j

jabón. soap. *sóup*

jamón. ham. *jam*

jarabe. syrup. *sírop*

jardín. garden. *gárden*

jersey. pullover. *pulóva*

joven. young. *yank*

joya. jewel. *yúuel*

joyería. jeweller's. *yúuelas*

jueves. Thursday. *zérsdei*

julio. July. *dyulái*

junio. June. *dyuun*

juntos. together. *tuguéda*

k

kilo(gramo). kilogramme. *kílougram*

kilómetro. kilometre. *kíiloumiita*

l

la. the. *de*

labio. lip. *lip*

lado. side. *sáid*

lago. lake. *léik*

lámpara. lamp. *lamp*

lápiz. pencil. *pénsil*

largo. long. *long*

lata. tin, can. *tin, can*

lavar. to wash. *tu uósh*

lavandería. laundry. *lóondri*

le. him, her. *jim, jer*

leche. milk. *milk*

lechuga. lettuce. *létis*

leer. to read. *tu ríid*

lejos. far. *far*

lengua. tongue, language. *tang, lángüich*

lento. slow. *slóu*

letra. letter. *léta*

ley. law. *lóo*

libra. pound. *páund*

libre. free, vacant. *fríi, véicant*

librería. bookshop. *búkshop*

libro. book. *buk*

ligero. light. *laít*

limón. lemon. *lémon*

limpio. clean. *clíin*

línea. line. *láin*

litera. couchette. *cushét*

llamada. call. *col*

llamar. to call, to phone. *tu col, tu fóun*

llamarse. to be called. *tu bii cóold*

llave. key. *kíi*

lleno. full. *ful*

llegada. arrival. *aráivel*

llegar. to arrive. *tu aráiv*

llevar. to carry, to wear. *tu cári, tu uéa*

llover. to rain. *tu réin*

lluvia. rain. *réin*

lo. it, him. *it, jim*

locutorio. call center. *col sénta*

luego. later. *léita*

lugar. place. *pléis*
lunes. Monday. *mándei*
luz. light. *láit*

m

madre. mother. *máda*
mal. bad, badly. *bad, bádli*
maleta. suitcase. *súutkeis*
malo. bad. *bad*
mandar. to send. *tu send*
manera. way. *uéi*
mano. hand. *jand*
manta. blanket. *blánkit*
mantel. tablecloth. *téibel-cloz*
mantequilla. butter. *báta*
manzana. apple. *ápel*
mañana. tomorrow, morning.
    tumórou, móoning
mapa. map. *map*
máquina. machine. *mashíin*
mar. sea. *síi*
mareo. seasickness. *síisiknes*
marido. husband. *jásband*
marisco. seafood. *síifuud*
marrón. brown. *bráun*
martes. Tuesday. *tiúsdei*
marzo. March. *march*
más. more. *móor*
matrícula. number-plate.
    námba-pléit
mayo. May. *méi*
mayor. bigger, older, larger.
    bíga, óulda, láarya
me. me. *mi*
mecánico. mechanic. *mecánic*
medianoche. midnight.
    míd-nait

medicina. medicine. *médsin*
médico. doctor. *dócter*
medio. half, middle. *jaf, mídel*
mediodía. midday, noon.
    míd-dei, núun
mejor. better, best. *béta, best*
melocotón. peach. *píich*
melón. melon. *mélon*
menor. smaller, younger.
    smóla, yánga
menos. less. *les*
mensaje. message. *mésich*
menudo (a...). often. *ófen*
mercado. market. *márkit*
mermelada. jam. *yam*
mes. month. *manz*
mesa. table. *téibel*
metro. metre, underground.
    míita, ánderground
mezcla. mixture. *míxcha*
mi. my. *mái*
mí. me. *mi*
miel. honey. *jáni*
mientras. while. *juáil*
miércoles. Wednesday.
    uénsdéi
mil. thousand. *záusend*
millón. million. *mílion*
minuto. minute. *mínit*
mío. mine. *máin*
mirar. to look. *tu luk*
mismo. same. *seim*
mitad. half. *jaf*
mochila. rucksack. *rúksak*
moda. fashion. *fáshien*

165

modo. way. *uéi*

molestar. to disturb. *tu distérb*

momento. moment. *móument*

moneda. coin. *cóin*

montaña. mountain. *máuntin*

monumento. monument. *móniument*

mostaza. mustard. *mástard*

mostrador. counter. *cáunta*

móvil. mobile phone. *móubail fóun*

motivo. reason. *ríisen*

moto. motorcycle. *móutor-sáikel*

muchacho/a. boy, girl. *bói, guerl*

mucho. much. *mach*

muelle. quay. *kíi*

mujer. woman, wife. *uóman, uáif*

multa. fine. *fáin*

mundo. world. *uóold*

museo. museum. *miusíem*

música. music. *miúsic*

muy. very. *véri*

n

nacer. to be born. *tu bíi born*

nacimiento. birth. *berz*

nacionalidad. nationality. *nashionáliti*

nada. nothing. *názing*

nadar. to swim. *tu suím*

nadie. nobody. *noubáadi*

naranja. orange. *óurinch*

nariz. nose. *nóus*

nata. cream. *críim*

navegar. to sail. *tu séil*

Navidad. Christmas. *crísmas*

necesario. necessary. *nésiseri*

necesitar. to need. *tu níid*

negocio. business. *bísnes*

negro. black. *blak*

neumático. tyre. *táia*

nevar. to snow. *tu snóu*

ni. nor, neither. *nor, náida*

niebla. fog. *fog*

nieve. snow. *snóu*

ningún/a. no, not any. *nóu, not éni*

niño/a. child. *cháild*

no. no, not. *nou, not*

noche. night. *náit*

nombre. name, noun. *néim, náun*

norte. north. *norz*

nos. us. *as*

nosotros. we. *uí*

noticia. news. *niús*

noviembre. November. *nouvémba*

nube. cloud. *cláud*

nuestro. our. *áua*

nueve. nine. *náin*

nuevo. new. *niú*

número. number. *námba*

nunca. never. *néva*

o

o. or. *or*

obra. work, play. *uórk, pléi*

ochenta. eighty. *éiti*

ocho. eight. *éit*

ocio. leisure. *lécha*

octubre. October. *octóuba*

ocupado. occupied. *ókiupaid*

oeste. west. *uést*

oferta. offer. *ófer*

oficina. office. *ófis*

ofrecer. to offer. *tu ófer*

oído. ear. *ía*

oír. to hear. *tu jía*

ojo. eye. *ái*

ola. wave. *uéiv*

olor. smell. *smel*

olvidar. to forget. *tu forguét*

once. eleven. *iléven*

óptica. optician's. *optíshens*

oreja. ear. *ía*

orilla. shore. *shóo*

oro. gold. *góuld*

orquesta. orchestra. *órkistra*

os. you. *iú*

oscuro. dark. *dark*

otoño. autumn. *ótom*

otro. another, other. *anóda, óda*

p

padre. father. *fáda*

padres. parents. *párents*

pagar. to pay. *tu péi*

país. country. *cáuntri*

paisaje. landscape. *lándskeip*

palabra. word. *uórd*

palacio. palace. *pálas*

pan. bread. *bred*

panadería. baker's. *béikas*

pantalones. trousers. *tráusas*

papel. paper. *péipa*

paquete. parcel, package. *pársel, pákich*

para. to, for, in order to. *tu, for, in órda tu*

parada. stop. *stop*

paraguas. umbrella. *ambréla*

parar. to stop. *tu stop*

pariente. relative. *rélatif*

parque. park. *park*

pasado. last, past. *last, past*

pasajero. passenger. *pásenya*

pasaporte. passport. *pásport*

pasar. to pass, to happen. *tu pas, tu jápen*

paseo. walk, promenade. *uók, prominád*

paso. step, pass. *step, pas*

pastel. pie, cake. *pái, kéik*

pastilla. tablet. *táblet*

patata. potato. *potéito*

peaje. toll. *tol*

peatón. pedestrian. *pidéstrian*

pecho. chest. *chest*

pedazo. piece, bit. *píis, bit*

pedir. to order, to ask for. *tu órda, tu ask for*

peinado. hair style. *jer stáil*

peine. comb. *cóum*

película. film. *film*

peligro. danger. *dóinya*

peligroso. dangerous. *déinyerous*

pelo. hair. *jer*

peluquería. hairdresser's. *jerdrésas*

pensar. to think. *tu zink*

pensión. guest-house. *guest-jáus*

pequeño. little, small. *lítel, smol*

pera. pear. *pía*

perder. to lose. *tu lúus*

perdón. pardon, sorry. *párdon, sóri*

perfume. perfume. *perfiúum*

periódico. newspaper. *niúspeipa*

permiso. permission, licence. *permíshen, láisens*

permitir. to allow, to permit. *tu aláu, tu permít*

pero. but. *bat*

perro. dog. *dog*

persona. person. *pérson*

pesado. heavy. *jévi*

pescado. fish. *fish*

peso. weight. *uéit*

pie. foot. *fúut*

piel. skin, leather. *skin, léda*

pierna. leg. *leg*

pila. battery. *bátri*

pimienta. pepper. *pépa*

pimiento. (red, green) pepper. *(red, gríin) pépa*

pinchazo. puncture. *pánkcha*

pintura. painting. *péinting*

piña. pineapple. *páinapel*

piscina. swimming pool. *suíming púul*

piso. flat, floor. *flat, flóor*

planchar. to iron. *tu áion*

plano. street map. *stríit map*

planta. plant, floor. *plant, flóor*

plata. silver. *sílva*

plátano. banana. *banána*

plato. dish. *dish*

playa. beach. *bíich*

plaza. square. *scuéa*

pobre. poor. *púa*

poco. little, few. *lítel, fiú*

poder. can, may. *can, méi*

policía. police, policeman. *polís, polísman*

pollo. chicken. *chíken*

poner. to put. *tu put*

por. for, because of. *for, bicós ov*

porque. because. *bicós*

por qué. why. *uái*

postal. postcard. *póust-card*

postre. dessert. *désert*

precio. price. *práis*

preguntar. to ask. *tu ask*

prensa. press. *pres*

preocuparse. to worry. *tu uóri*

preparar. to prepare. *tu pripér*

presentar. to introduce. *tu introdiús*

primavera. spring. *spríng*

primero. first. *ferst*

primo. cousin. *cásin*

principal. main. *méin*

prisa. hurry. *jári*

problema. problem. *próblem*

prohibir. to forbid. *tu fobíd*

pronto. soon. *súun*

propina. tip. *tip*

próximo. next, close. *next, clóus*

pueblo. village. *vílich*

puente. bridge. *brich*

puerta. door. *dóor*

puerto. port, harbour. *port, járbor*

punto. point. *póint*

q

que. that, what. *dat, uót*

qué. what, which. *uót, uích*

quedarse. to stay. *tu stéi*

queja. complaint. *compléint*

quemadura. burn. *bern*

querer. to want, to love. *tu uónt, tu lav*

queso. cheese. *chíis*

quien. who. *júu*

quince. fifteen. *fiftíin*

quincena. fortnight. *fotnáit*

quinientos. five hundred. *fáiv jándred*

quinto. fifth. *fifz*

quiosco. newsagent's. *niús-éiyents*

quizá(s). perhaps. *perjáps*

r

rápido. quick. *cuík*

razón. reason, cause. *ríigon, cos*

rebajas. sales. *séils*

receta. prescription, recipe. *prescrípshen, rísipi*

recibir. to receive. *tu risíiv*

reclamar. to claim. *tu cléim*

recoger. tu collect, to pick up. *tu coléct, tu píkap*

recomendar. to advise, to recommend. *tu adváis, tu recoménd*

recordar. to remember. *tu rimémba*

recto. straight. *stréit*

recuerdo. souvenir, memory. *suuvenía, mémori*

redondo. round. *ráund*

refresco. refreshment. *rifréshment*

regalo. present, gift. *présent, guift*

rellenar. to fill in. *tu fil in*

reloj. watch. *uótch*

remitente. sender. *sénda*

reparar. to repair. *tu ripér*

repente (de...). suddenly. *sádenli*

repetir. to repeat. *tu ripíit*

repuesto. spare. *spéa*

reservar. to book, to reserve. *tu buk, tu risérv*

resfriado. cold. *cóuld*

respuesta. answer. *ánsa*

restaurante. restaurant. *réstorant*

retraso. delay. *diléi*

revista. magazine. *mágasin*

río. river. *ríva*

robar. to steal. *tu stíil*

rodilla. knee. *níi*

rojo. red. *red*

ropa. clothes. *clózis*

rosa. rose, pink. *róus, pink*

roto. broken. *bróuken*

rubio. blond. *blond*

rueda. wheel. *uíil*

ruido. noise. *nóis*

s

sábado. Saturday. *sáterdei*

sábana. sheet. *shíit*

saber. to know. *tu nóu*

sabor. taste, flavour. *téist, fléiva*

sal. salt. *solt*

sala. hall. *jol*

salchicha. sausage. *sósich*

salida. exit, departure. *éksit, dipárcha*

salir. to leave, to go out. *tu líiv, tu góu áut*

salón. living room. *líving-rúum*

salsa. sauce. *sóos*

salud. health, cheers. *jelz, chías*

sangre. blood. *blad*

se. oneself, him/herself. *uánself, jim/jerself*

seco. dry. *drái*

sed. thirst. *zéest*

seda. silk. *silk*

seguida (en...). at once. *at uáns*

seguir. to follow. *tu fólou*

segundo. second. *sécond*

seguro. sure, safe, insurance. *shúa, séif, inshúerens*

seis. six. *siks*

sello. stamp. *stamp*

semáforo. traffic-lights. *tráfic-láits*

semana. weel. *uíik*

sentarse. to sit down. *tu sit dáun*

señal. sign, signal. *sáin, sígnal*

señor. mister, sir. *místa, ser*

señora. missis, madam. *mísis, mádam*

septiembre. September. *septémba*

ser. to be. *tu bíi*

servicio. service. *sérvis*

servicios. toilets. *tóilets*

servilleta. serviette. *serviét*

servir. to serve. *tu serv*

sesenta. sixty. *síksti*

setenta. seventy. *séventi*

si. if, whether. *if, uéda*

sí. yes. *yes*

siempre. always. *ól-uéis*

siete. seven. *séven*

siglo. century. *sénchuri*

significado. meaning. *míining*

siguiente. next, following. *next, fólouing*

silencio. silence. *sáilens*

silla. chair. *chéa*

simpático. nice. *náis*

sin. without. *uidáut*

sitio. place, spot. *pléis, spot*

sobre. over, envelope. *óva, énveloup*

sobrino/a. nephew, niece. *néfiu, níis*

socorro. help, aid. *jelp, éid*

sol. sun. *san*

solamente. only. *óunli*

solo. alone, only. *alóun, óunli*

soltero. single, unmarried. *sínguel, anmérid*

sopa. soup. *súup*

su. his, her, its, their. *jis, jer, its, déir*

subir. to go up. *tu góu ap*

sucio. dirty. *dérti*

suelo. floor, ground. *flóor, gráund*

suerte. luck. *lak*

suficiente. enough. *enáf*

sur. south. *sáuz*

suyo. his, hers, theirs. *jis, jers, déirs*

t

tabaco. tobacco. *tobécou*

talla. size. *sáis*

taller. repair shop. *ripér-shop*

tamaño. size. *sáis*

también. too, also. *túu, ólsou*

tampoco. not either. *not áida*

tan. so, as. *sóu, as*

tanto. so much/many. *sóu mach/méni*

taquilla. ticket office. *tíket ófis*

tarde. afternoon, evening. *áftanuun, ívning*

tarifa. rate. *réit*

tarjeta. card. *cáard*

tarta. cake, tart. *kéik, tart*

taxi. taxi. *téksi*

taza. cup. *cap*

te. you, yourself. *yor, yorsélf*

té. tea. *tíi*

teatro. theatre. *zíata*

techo. ceiling. *síiling*

teléfono. telephone. *télifoun*

televisión. television. *télivishen*

temperatura. temperature. *témpricha*

temporada. season. *síisen*

temprano. early. *éerli*

tenedor. fork. *fóok*

tener. to have. *tu jav*

tercero. third. *zerd*

terminar. to finish. *tu fínish*

ternera. veal. *víil*

terraza. terrace. *téras*

ti. you. *iú*

tiempo. time, weather. *táim, uéda*

tienda. shop, tent. *shop, tent*

tinto. red. *red*

tío/a. uncle, aunt. *ónkel, áant*

típico. typical. *típical*

tirar. to pull. *tu pul*

toalla. towel. *táuel*

todavía. still, yet. *stil, yet*

todo. all, the whole. *ol, de jóul*

tomar. to take. *tu téik*

tomate. tomato. *toméitou*

torre. tower. *táua*

tortilla. omelet. *ómlet*

tos. caugh. *cof*

tostada. toast. *tóust*

trabajar. to work. *tu uórk*

traer. to bring. *tu bring*

traducir. to translate. *tu transléit*

traje. dress, suit. *dres, súut*

tranquilo. quiet. *cuáiet*

tranvía. tram. *tram*

trece. thirteen. *zertíin*

treinta. thirty. *zérti*

tren. train. *tréin*

tres. three. *zríi*

trozo. piece, part. *píis, part*

tu. your. *yor*

tú. you. *iú*

turismo. tourism. *túurism*

turista. tourist. *túurist*

tuyo. yours. *yors*

u

último. last, final. *last, fáinal*

un/a. a, an. *a, an*

único. only (one). *óunli (uán)*

uno. one. *uán*

urgente. urgent. *éryent*

usar. to use. *tu iús*

usted. you. *iú*

útil. useful. *iúsful*

uva. grape. *gréip*

v

vacaciones. holidays. *jólideis*

vacío. empty. *émpti*

vacuna. vaccine. *veksín*

vagón. coach. *cóuch*

vale. OK/All right. *Ou-kéi/ol-ráit*

valer. to cost. *tu cost*

valle. valley. *váli*

vaqueros. jeans. *yíins*

varios. several. *sévral*

vaso. glass. *glas*

veinte. twenty. *tuénti*

velocidad. speed. *spíid*

vender. to sell. *tu sel*

venir. to come. *tu cam*

venta. sale. *séil*

ventana. window. *uíndou*

ventanilla. ticket office, counter, car window. *tíket tíket-ófis, cáunta, car uíndou*

ver. to see. *tu síi*

verano. summer. *sáma*

verdad. truth. *truz*

verde. green. *gríin*

verdura. vegetables. *védyeteibels*

vestido. dress. *dres*

vez. time. *táim*

vía. track. *trak*

viajar. to travel. *tu trável*

viajero. traveller. *trávela*

vida. life. *láif*

viejo. old. *óuld*

viento. wind. *uínd*

viernes. Friday. *fráidei*

vinagre. vinegar. *vínega*

vino. wine. *uáin*

visado. visa. *víisa*

visita. visit. *vísit*

visitar. to visit. *tu vísit*

vista. view, sight. *viúu, sáit*

viudo. widow. *uídou*

vivir. to live. *tu liv*

volver. to return. *tu ritárn*

vosotros. you. *iú*

vuelo. flight. *fláit*

vuelta. return, turn. *ritárn, tarn*

vuestro. your. *yor*

y

y. and. *and*

ya. already. *ólredi*

yate. yacht. *yot*

yo. I. *ái*

z

zanahoria. carrot. *cárot*

zapatería. shoe shop. *shúushop*

zapato. shoe. *shúu*

zumo. juice. *yúus*

a

a(n). *a, an.* un(a)

about. *abáut.* sobre

accident. *áksident.* accidente

account. *acáunt.* cuenta

ache. *éik.* dolor

address. *ádres.* dirección

advice. *adváis.* consejo.

advise. *adváis.* aconsejar

after. *áfta.* después

again. *eguéin.* otra vez

against. *eguénst.* contra

age. *éich.* edad

ago. *egóu.* hace

ahead. *ajéd.* adelante

air. *er.* aire

alcohol. *álcojol.* alcohol

all. *ol.* todo

allergic. *aléryik.* alérgico/a

allow. *eláu.* permitir

almost. *ólmoust.* casi

alone. *alóun.* solo

along. *alóng.* a lo largo de

already. *ólredi.* ya

also. *ólsou.* también

although. *oldóu.* aunque

always. *ól-uéis.* siempre

ambulance. *ámbiulans.* ambulancia

among. *amáng.* entre

amount. *amáunt.* suma

and. *and.* y

another. *anóda.* otro

answer. *ánsa.* respuesta, contestar

any. *éni.* cualquiera

apartment. *apártment.* apartamento

apple. *ápel.* manzana

appointment. *apóintment.* cita

April. *éipril.* abril

arm. *arm.* brazo

around. *aráund.* alrededor

arrive. *aráiv.* llegar

arrival. *aráivel.* llegada

as. *as.* como

ask. *ask.* preguntar

at. *at.* a, en

August. *óogost.* agosto

aunt. *áant.* tía

autumn. *ótom.* otoño

available. *avéilebel.* disponible

avenue. *ávenlu.* avenida

b

back. *bak.* espalda, atrás

bad. *bad.* malo

bag. *bag.* bolsa

ballpoint pen. *bolpóint pen.* bolígrafo

bank. *bank.* banco

bath. *báaz.* baño

bathroom. *báaz-rúum.* cuarto de baño

battery. *bátri.* pila, batería

be. *bíi.* ser, estar

beach. *bíich.* playa

beautiful. *biútiful.* bonito

because. *bicós.* porque

bed. *bed.* cama

bedroom. *béd-rúum.* dormitorio

beer. *bía.* cerveza

before. *bifór.* antes

begin. *biguín.* empezar

behind. *bijáind.* detrás

believe. *bilíiv.* creer

belt. *belt.* cinturón

beside. *bisáid.* junto a

best, better. *best, béta.* mejor

between. *bituín.* entre

bicycle. *báisikel.* bicicleta

big. *big.* grande

bill. *bil.* cuenta

bird. *berd.* pájaro

biscuit. *bískit.* galleta

black. *blak.* negro

blanket. *blánkit.* manta

blond. *blond.* rubio

blood. *blad.* sangre

blue. *blu.* azul

body. *báadi.* cuerpo

bone. *bóun.* hueso

book. *buk.* libro

boot. *búut.* bota

both. *bóuz.* ambos

bother. *bóda.* molestar

bottle. *bátel.* botella

box. *báaks.* caja

boy. *bói.* chico

bread. *bred.* pan

breakdown. *bréik-dáun.* avería

breakfast. *brékfast.* desayuno

bridge. *brich.* puente

bring. *bring.* traer

brochure. *bróusha.* folleto

broken. *bróuken.* roto

brother. *bróda.* hermano

brown. *bráun.* marrón

brush. *brash.* cepillo

building. *bílding.* edificio

bus. *bas.* autobús

but. *bat.* pero

butcher's. *bátchas.* carnicería

butter. *báta.* mantequilla

buy. *bái.* comprar

by. *bái.* por, de

c

cake. *kéik.* pastel, tarta

call. *col.* llamada, llamar

camera. *cámra.* cámara

can. *can.* poder, lata

cancel. *cánsel.* cancelar

car. *car.* coche

card. *cáard.* tarjeta

carry. *cári.* llevar

cash. *cash.* cobrar, caja

castle. *cásel.* castillo

cat. *cat.* gato

cathedral. *cazídral.* catedral

caution. *cóshien.* cuidado

cent. *sent.* centavo, céntimo

centre. *sénta.* centro

century. *sénchuri.* siglo

chair. *chéa.* silla

change. *chéinch.* cambio

cheap. *chíip.* barato

check in. *chek in.* facturar

cheese. *chíis.* queso

chemist's. *kémists.* farmacia

cherry. *chéri.* cereza

chicken. *chíken.* pollo

child. *cháild.* niño

chocolate. *chóclit.* chocolate

chop. *chop.* chuleta

church. *cherch.* iglesia

cigar. *sigár.* puro

cigarette. *sígaret.* cigarrillo

cinema. *sínema.* cine

city. *síti.* ciudad

class. *clas.* clase

clean. *clíin.* limpio

clear. *clía.* claro

climate. *cláimit.* clima

close. *clóus.* cerrar, cerca

closed. *clóust.* cerrado

clothes. *clózis.* ropa

cloud. *cláud.* nube

coach. *cóuch.* autocar

coast. *cóust.* costa

coat. *cóut.* abrigo

coin. *cóin.* moneda

cold. *cóuld.* frío, resfriado

colour. *cála.* color

comb. *cóum.* peine

come. *cam.* venir

concert. *cónsert.* concierto

constipation. *constipéishen.* estreñimiento

cook. *kuk.* cocinar

cool. *cúul.* fresco

corner. *córna.* esquina

cost. *cost.* costar

cotton. *cóton.* algodón

cough. *cof.* tos

counter. *cáunta.* mostrador

country. *cáuntri.* país

court. *cóort.* patio, pista

cousin. *cásin.* primo

cream. *críim.* nata

cross. *cros.* cruzar

cruise. *crúus.* crucero

cup. *cap.* taza

customs. *cástoms.* aduana

cut. *cat.* cortar, corte

d

daily. *déili.* diario

damage. *dámich.* daño

dance. *déns.* bailar

danger. *déinya.* peligro

dangerous. *déinyerous.* peligroso

dark. *dáark.* oscuro

date. *déit.* fecha

daughter. *dóota.* hija

day. *déi.* día

dead. *ded.* muerto

December. *disémba.* diciembre

deck. *dek.* cubierta, tapa

delay. *diléi.* retraso

dentist. *dentist.* dentista

departure. *dipárcha.* salida

dessert. *désert.* postre

dictionary. *díkshenri.* diccionario

die. *dái.* morir

difficult. *dífcalt.* difícil

dinner. *dína.* comida

dirty. *dérti.* sucio

discount. *discáunt.* descuento

177

dish. *dish.* plato
district. *dístrict.* barrio
disturb. *distérb.* molestar
do. *du.* hacer
dog. *dog.* perro
dollar. *dála.* dólar
door. *dóor.* puerta
double. *dábel.* doble
down. *daún.* abajo
dress. *dres.* vestido, vestirse
drink. *drink.* bebida, beber
drive. *dráiv.* conducir
dry. *drái.* seco
dual carriageway. *dúal cárich-uéi.* autovía
duck. *dak.* pato
during. *diúring.* durante

e

each. *íich.* cada
ear. *ía.* oído, oreja
early. *éerli.* temprano
earth. *éerz.* tierra
east. *íist.* este
easy. *íisi.* fácil
eat. *íit.* comer
egg. *eg.* huevo
eight. *éit.* ocho
elder, eldest. *élda, éldest.* mayor
eleven. *iléven.* once
embassy. *émbasi.* embajada
empty. *émpti.* vacío
end. *end.* fin(al)
engine. *ényin.* motor
enough. *enáf.* bastante

entry (entrance). *éntri (éntrans).* entrada
envelope. *énveloup.* sobre
euro. *iúrou.* euro
evening. *ívning.* tarde
every. *évri.* cada
example. *igsámpel.* ejemplo
exchange. *ikschéinch.* cambio
excuse. *exkiús.* perdonar, disculpar
exit. *éksit.* salida
eye. *ái.* ojo

f

face. *féis.* cara
family. *fámili.* familia
far. *fáar.* lejos
fare. *féa.* tarifa
fast. *fast.* rápido
father. *fáda.* padre
February. *fébruari.* febrero
few. *fiú.* pocos
field. *fiild.* campo
fill in. *fil in.* rellenar
find. *fáind.* encontrar
fine. *fáin.* bonito, multa
finger. *fínga.* dedo
finish. *fínish.* acabar, terminar
fire. *fáia.* fuego
first. *ferst.* primero
fish. *fish.* pescado
fifteen. *fiftíin.* quince
fifty. *fífti.* cincuenta
five. *fáiv.* cinco
flavour. *fléiva.* sabor
flight. *fláit.* vuelo

floor. *flóor.* piso, planta

flower. *fláua.* flor

follow. *fólou.* seguir

food. *fúud.* comida

foot. *fúut.* pie

for. *for.* para

forbidden. *fobíden.* prohibido

foreign(er). *fóren(a).* extranjero

fork. *fóork.* tenedor

forget. *forguét.* olvidar

forty. *fórti.* cuarenta

fountain. *fáuntin.* fuente

four. *fóor.* cuatro

fourteen. *foortíin.* catorce

fourth. *fóorz.* cuarto

free. *fríi.* libre, gratis

Friday. *fráidei.* viernes

fried. *fráid.* frito

friend. *frend.* amigo

from. *from.* de, desde

fruit. *frúut.* fruta

full. *ful.* lleno

furniture. *férnicha.* mueble

g

gallon. *gálon.* galón (4,54 l)

game. *guéim.* juego

garden. *gárden.* jardín

gate. *guéit.* puerta

gentleman. *dchéntelman.* caballero

gift. *guift.* regalo

girl. *guerl.* chica

give. *guiv.* dar

glad. *glad.* contento

glass. *glas.* vaso

glasses. *gláasis.* gafas

go. *góu.* ir

go out. *góu áut.* salir

gold. *góuld.* oro

good. *gud.* bueno

goodbye. *gudbái.* adiós

great. *gréit.* grande

green. *gríin.* verde

greeting. *gríiting.* saludo

grey. *gréi.* gris

guide. *gáid.* guía

h

hair. *jer.* pelo

half. *jaf.* medio

ham. *jam.* jamón

hand. *jand.* mano

handbag. *jándbag.* bolso

happen. *jápen.* pasar, ocurrir

happy. *jápi.* feliz

harbour. *járbor.* puerto

hat. *jat.* sombrero

have. *jav.* tener, haber

have lunch. *jav lanch.* almorzar

he. *jíi.* él

head. *jed.* cabeza

health. *jelz.* salud

hear. *jía.* oír

heart. *jáart.* corazón

heating. *jíiting.* calefacción

heavy. *jévi.* pesado

help. *jelp.* ayuda, ayudar

her. *jer.* su, la, le

high. *jái.* alto

him. *jim.* lo, le

hire. *jáia.* alquilar

his. *jis.* su

holidays. *jólideis.* vacaciones

home. *jóum.* casa, hogar

honey. *jáni.* miel

hope. *jóup.* esperar

horse. *jors.* caballo

hot. *jot.* caliente

hour. *áua.* hora

house. *jáus.* casa

how. *jáu.* cómo

hunger. *jánga.* hambre

hurry. *jári.* prisa

hurt. *jert.* herida, daño

husband. *jásband.* marido

i

ice. *áis.* hielo

ice cream. *áis-críim.* helado

if. *if.* si

ill. *il.* enfermo

in. *in.* en, dentro de

inch. *inch.* pulgada (2,54 cm)

included. *inclúudid.* incluido

influenza. *influénsa.* gripe

injured. *ínyed.* herido

insurance. *inshúerens.* seguro

interesting. *íntresting.* interesante

interpreter. *intérprita.* intérprete

into. *íntu.* en

introduce. *introdiús.* presentar

invite. *inváit.* invitar

iron. *áion.* hierro, planchar

island. *áiland.* isla

it. *it.* lo

j

jacket. *yáket.* chaqueta

jam. *yam.* mermelada

January. *yánuari.* enero

jewel. *yúuel.* joya

jeweller's. *yúuelas.* joyería

journey. *yérni.* viaje

juice. *yúus.* zumo

July. *dyulái.* julio

June. *dyuun.* junio

k

key. *kíi.* llave

kind. *káind.* amable, tipo

kitchen. *kíchen.* cocina

knee. *níi.* rodilla

knife. *náif.* cuchillo

know. *nóu.* saber, conocer

l

lady. *léidi.* señora

lake. *léik.* lago

lamp. *lamp.* lámpara

land. *land.* tierra, aterrizar

language. *lángüich.* lengua, idioma

large. *láarch.* grande

last. *last.* último, durar

last night. *last night.* anoche

late. *léit.* tarde

later. *léita.* luego

laundry. *lóondri.* lavandería

lawyer. *lóya.* abogado

learn. *léern.* aprender

leather. *léda.* piel

leave. *líiv.* salir, irse

left. *left.* izquierdo

leg. *leg.* pierna
leisure. *lécha.* tiempo libre
lemon. *lémon.* limón
less. *les.* menos
letter. *léta.* carta, letra
lettuce. *létis.* lechuga
library. *láibreri.* biblioteca
life. *láif.* vida
lift. *lift.* ascensor
light. *láit.* luz
lighter. *láita.* encendedor
like. *láik.* gustar, como
line. *láin.* línea
lip. *lip.* labio
listen. *lísen.* escuchar
little. *lítel.* pequeño, poco
live. *liv.* vivir
lodging. *lódying.* alojamiento
long. *long.* largo
look. *luk.* mirar
look for. *luk for.* buscar
lorry. *lóri.* camión
lost. *lost.* perdido
loud. *láud.* alto
low. *lóu.* bajo
luck. *lak.* suerte
luggage. *láguich.* equipaje
lunch. *lanch.* almuerzo

m

machine. *mashíin.* máquina
madam. *mádam.* señora
made. *méid.* hecho
magazine. *mágasin.* revista
mail. *méil.* correo
main. *méin.* principal

make. *méik.* hacer
man. *man.* hombre
many. *méni.* muchos
map. *map.* mapa
March. *march.* marzo
market. *márkit.* mercado
marmalade. *mármeleid.*
    mermelada de naranja
married. *mérid.* casado
match. *match.* cerilla, partido
mattress. *mátres.* colchón
May. *méi.* mayo
me. *mi.* mí
meal. *míil.* comida
meaning. *míining.* significado
measure. *mésha.* medida
meat. *míit.* carne
melon. *mélon.* melón
message. *mésich.* mensaje
mild. *máild.* suave
mile. *máil.* milla (1,6 km)
milk. *milk.* leche
million. *mílion.* millón
mirror. *míror.* espejo
miss. *mis.* señorita
mistake. *mistéik.* error
mister. *místa.* señor
missis. *mísis.* señora
mixed. *mikst.* mixto
mobile phone. *móubail fóun.*
    móvil
Monday. *mándei.* lunes
money. *máni.* dinero
month. *manz.* mes
moon. *múun.* luna

more. *móor.* más

morning. *móoning.* mañana

mother. *máda.* madre

motorway. *móutor-uéi.* autopista

mountain. *máuntin.* montaña

mouth. *máuz.* boca

much. *mach.* mucho

must. *mast.* deber

mustard. *mástard.* mostaza

my. *mai.* mi, mis

n

name. *néim.* nombre

narrow. *nérou.* estrecho

near. *nía.* cerca

need. *níid.* necesitar

neighbour. *néiba.* vecino

neither. *náida.* ni

nephew. *néfiu.* sobrino

never. *néva.* nunca

new. *niú.* nuevo

news. *niús.* noticia

newsagent's. *niús-eíyents.* quiosco

newspaper. *niúspeipa.* periódico

next. *next.* siguiente, próximo

nice. *náis.* agradable

niece. *níis.* sobrina

night. *náit.* noche

nine. *náin.* nueve

no. *nou.* no, ningún

nobody. *noubáadi.* nadie

noise. *nóis.* ruido

none. *nan.* ninguno

noon. *núun.* mediodía

nor. *nor.* ni

north. *norz.* norte

nose. *nóus.* nariz

not. *not.* no

nothing. *názing.* nada

notice. *nóutis.* aviso

noun. *náun.* nombre

November. *nouvémba.* noviembre

now. *náu.* ahora

number. *námba.* número

nurse. *ners.* enfermera

o

o'clock. *oclók.* en punto

October. *octóuba.* octubre

of. *ov.* de

offer. *ófer.* oferta, ofrecer

often. *ófen.* a menudo

oil. *óil.* aceite, petróleo

old. *óuld.* viejo

olive. *óliv.* aceituna

on. *on.* en, sobre

once. *uáns.* una vez

one. *uán.* uno

only. *óunli.* solamente

open. *óupen.* abrir, abierto

opposite. *óposit.* enfrente

optician's. *optíshiens.* óptica

or. *or.* o

orange. *órinch.* naranja

order. *órda.* orden, pedir

other. *óda.* otro

ounce. *áuns.* onza (28 g)

our. *áua.* nuestro

out. *áut.* fuera

out of order. *áut ov órda.* averiado

over. *óva.* encima

owe. *óu.* deber

owner. *óuna.* dueño

p

package. *pákich.* paquete

pain. *péin.* dolor

painting. *péinting.* pintura

pair. *péa.* par

paper. *péipa.* papel

parcel. *pársel.* paquete

pardon. *párdon.* perdón

parents. *párents.* padres

park. *páark.* aparcar, parque

party. *páarti.* partido, fiesta

passenger. *pásenya.* pasajero

pass. *pas.* pasar

passport. *pásport.* pasaporte

pavement. *péivment.* acera

pay. *péi.* pagar

peach. *píich.* melocotón

pear. *pía.* pera

pedestrian. *pidéstrian.* peatón

pen. *pen.* pluma

pencil. *pénsil.* lápiz

penny. *péni.* penique

people. *pípel.* gente

pepper. *pépa.* pimienta

perhaps. *perjáps.* tal vez

petrol. *pétrol.* gasolina

petrol station. *pétrol-stéishen.* gasolinera

pick up. *píkap.* recoger

picture. *píkcha.* cuadro

pie. *pái.* pastel, tarta

piece. *píis.* pieza, trozo

pillow. *pílou.* almohada

pineapple. *páinapel.* piña

pink. *pink.* rosa

pint. *páint.* pinta (0,5 l)

pity. *píti.* lástima

place. *pléis.* sitio, lugar

plane. *pléin.* avión

plant. *plant.* planta

platform. *plátform.* andén

play. *pléi.* jugar, tocar

please. *plíis.* por favor

plum. *plam.* ciruela

pocket. *pókit.* bolsillo

point. *póint.* punto

police. *polís.* policía

police station. *políis stéishen.* comisaría

poor. *púa.* pobre

pork. *pork.* cerdo

port. *port.* puerto

post office. *póust-ófis.* Correos

potato. *potéito.* patata

pound. *páund.* libra

prefer. *prifér.* preferir

pregnant. *prégnent.* embarazada

prepare. *pripér.* preparar

prescription. *prescrípshen.* receta

present. *présent.* regalo, presente

pretty. *príti.* guapo, bonito

price. *práis.* precio

promenade. *prominád.* paseo

pull. *pul.* tirar

pullover. *pulóva.* jersey

puncture. *pánkcha.* pinchazo

push. *push.* empujar

put. *put.* poner

put in. *put in.* meter

q

quarter. *cuóta.* cuarto

quay. *kíi.* muelle

question. *cuéstshen.* pregunta

queue. *kiúu.* cola

quick. *cuík.* rápido

quiet. *cuáiet.* tranquilo

r

rain. *réin.* llover, lluvia

raw. *róo.* crudo

reach. *ríich.* llegar

read. *ríid.* leer

ready. *rédi.* listo

reason. *ríisen.* causa, razón

receive. *risíiv.* recibir

red. *red.* rojo

regards. *rigáards.* saludos

relatives. *rélativs.* parientes

remember. *rimémba.* recordar

rent. *rent.* alquilar

repair. *ripér.* reparar

repeat. *ripíit.* repetir

reply. *riplái.* respuesta

report. *ripórt.* denuncia

return. *ritárn.* volver, vuelta

rice. *ráis.* arroz

right. *ráit.* derecho/a, correcto

river. *ríva.* río

road. *róud.* carretera

roast. *róust.* asado

room. *rúum.* habitación

round. *ráund.* redondo

row. *ráu.* fila

rucksack. *rúksak.* mochila

s

safe. *séif.* seguro

sail. *séil.* navegar

salad. *sálad.* ensalada

sale. *séil.* venta

sales. *séils.* rebajas

salt. *solt.* sal

same. *séim.* mismo

sand. *sand.* arena

Saturday. *sáterdei.* sábado

sauce. *sóos.* salsa

sausage. *sósich.* salchicha

say. *séi.* decir

school. *scúl.* escuela

scissors. *sísos.* tijeras

sea. *síi.* mar

seafood. *síifuud.* marisco

season. *síisen.* temporada, estación

seat. *síit.* asiento

second. *sécond.* segundo

see. *síi.* ver

sell. *sel.* vender

send. *send.* mandar, enviar

September. *septémba.* septiembre

serve. *serv.* servir

seven. *séven.* siete

seventy. *séventi.* setenta

several. *sévral.* varios

shampoo. *shampoo.* champú

she. *shíi.* ella

sheet. *shíit.* sábana

ship. *ship.* barco

shirt. *shert.* Camisa

shoe. *shúu.* zapato

shop. *shop.* tienda

short. *short.* corto

shower. *sháua.* ducha

sick. *sik.* enfermo

side. *sáid.* lado

sign. *sáin.* signo, firmar

silk. *silk.* seda

silver. *sílva.* plata

since. *sins.* desde

single. *sínguel.* individual, soltero

sir. *ser.* señor

sister. *sísta.* hermana

sit down. *sit dáun.* sentarse

six. *six.* seis

sixty. *síksti.* sesenta

size. *sáis.* tamaño, talla

ski. *ski.* esquiar, esquí

skin. *skin.* piel

sleep. *slíip.* dormir

slow. *slóu.* lento

small. *smol.* pequeño

smoke. *smóuk.* fumar

snow. *snóu.* nevar, nieve

so. *sou.* así

soap. *sóup.* jabón

soft. *soft.* suave

some. *sam.* algunos

son. *san.* hijo

soon. *súun.* pronto

sorry. *sóri.* perdón, lo siento

sort. *sort.* tipo, clase

soup. *súup.* sopa

south. *sáuz.* sur

souvenir. *suuvenía.* recuerdo

Spanish. *spánish.* español

speak. *spíik.* hablar

speed. *spíid.* velocidad

spoon. *spúun.* cuchara

sport. *sport.* deporte

spring. *spring.* primavera

square. *scuéa.* plaza, cuadrado

stairs. *stéas.* escaleras

stamp. *stamp.* sello

start. *start.* empezar

steak. *stéik.* filete

steal. *stíil.* robar

stewardess. *stíuardes.* azafata

stomach. *stómac.* estómago

stop. *stop.* parar, parada

stopover. *stop-óva.* escala

strawberry. *stróberi.* fresa

street. *stríit.* calle

strike. *stráik.* huelga

strong. *strong.* fuerte

student. *student.* estudiante

suburb. *sáberb.* barrio

such. *sach.* tal

sugar. *shúga*

suit. *súut.* traje

suitcase. *súutkeis.* maleta

summer. *sáma.* verano

sun. *san.* sol
Sunday. *sándei.* domingo
sure. *shúa.* seguro
surgery. *séryeri.* consulta
surname. *sérneim.* apellido
sweet. *suíit.* dulce
swim. *suím.* nadar
swimming pool. *suíming-púul.* piscina

t

table. *téibel.* mesa
tablet. *táblet.* pastilla
take. *téik.* tomar, coger
talk. *tok.* hablar
tall. *tol.* alto
tax. *tax.* impuesto
taxi. *téksi.* taxi
tea. *tíi.* té
telephone box. *télifoun báaks.* cabina
tell. *tel.* decir, contar
ten. *ten.* diez
tent. *tent.* tienda de campaña
terrace. *téras.* terraza
than. *dan.* que
thank you. *zénkiu.* gracias
that. *dat.* que
the. *de.* el, la, los, las
their. *déir.* su, sus
then. *den.* entonces
there. *déa.* allí
these. *díis.* estos, estas
think. *zink.* pensar
third. *zerd.* tercero
thirteen. *zertíin.* trece

thirty. *zérti.* treinta
this. *dis.* este/a
thousand. *záusend.* mil
three. *zríi.* tres
throat. *zróut.* garganta
Thursday. *zérsdei.* jueves
ticket. *tíket.* billete, entrada
timetable. *táim-téibel.* horario
tie. *tái.* corbata
time. *táim.* tiempo
tip. *tip.* propina
to. *tu.* a, para
toast. *tóust.* tostada
tobacco. *tobécou.* tabaco
together. *tuguéda.* juntos
toilets. *tóilets.* servicios
toll. *tol.* peaje
tomorrow. *tumórou.* mañana
tonight. *tunáit.* esta noche
too, too much/many. *túu, túu mach/méni.* demasiado/a/os/as
tool. *túul.* herramienta
tooth. *túuz.* diente
towel. *táuel.* toalla
tower. *táua.* torre
town. *táun.* ciudad
toy. *toy.* juguete
traffic-lights. *tráfic-láits.* semáforo
train. *tréin.* tren
tram. *tram.* tranvía
translate. *transléit.* traducir
travel. *trável.* viajar, viaje
tree. *tríi.* árbol

trip. *trip.* viaje

trousers. *tróusas.* pantalones

truth. *trúuz.* verdad

try. *trái.* tratar

Tuesday. *tiúsdei.* martes

twelve. *tuélv.* doce

twenty. *tuénti.* veinte

twice. *tuáis.* dos veces

two. *túu.* dos

u

ugly. *ágli.* feo

umbrella. *ambréla.* paraguas

uncle. *ónkel.* tío

underground. *ándergraund.* metro

understand. *anderstánd.* comprender

until. *ontíl.* hasta

up. *ap.* arriba

use. *iús.* usar

v

vacant. *véicant.* libre

value. *váliuu.* valor

van. *van.* furgoneta

veal. *víil.* ternera

vegetables. *védyetéibels.* verdura

very. *véri.* muy

view. *viúu.* vista

village. *vílich.* pueblo

vinegar. *vínega.* vinagre

voice. *vóis.* voz

w

wait. *uéit.* esperar

walk. *uók.* andar

wall. *uól.* pared

wallet. *uólit.* cartera

warm. *uórm.* cálido

wash. *uósh.* lavar

watch. *uótch.* reloj

water. *uóta.* agua

way. *uéi.* camino, manera

we. *uí.* nosotros

wear. *uéa.* llevar

weather. *uéda.* tiempo

Wednesday. *uénsdei.* miércoles

week. *uíik.* semana

weight. *uéit.* peso

welcome. *uélcam.* bienvenido

well. *uél.* bien

west. *uést.* oeste.

what. *uót.* qué, lo que

wheel. *uíil.* rueda

when. *uén.* cuándo

where. *uéa.* dónde

which. *uích.* cuál

white. *uáit.* blanco

who. *júu.* quién

whole. *jóul.* todo

why. *uái.* por qué

wide. *uáid.* ancho

widow. *uídou.* viudo

wife. *uáif.* esposa

wind. *uínd.* viento

window. *uíndou.* ventana

wine. *uáin.* vino

winter. *uínta.* invierno

wish. *uísh.* desear

with. *uíd.* con

without. *uidáut.* sin
woman. *uóman.* mujer
wool. *wúul.* lana
word. *uórd.* palabra
work. *uórk.* trabajar
world. *uóold.* mundo
worry. *uóri.* preocuparse
worse. *uórs.* peor
write. *ráit.* escribir

y

yacht. *yot.* yate
yard. *yáad.* yarda (91 cm)
year. *yía.* año
yellow. *yélou.* amarillo
yes. *yes.* sí
yesterday. *yésterdei.* ayer
you. *iú.* tú, vosotros, Vd., Vds.
young. yank. joven
your. yor. tu, vuestro, su